PETHAU PATAGONIA

Fred Green

Pethau Patagonia

Atgofion Gwladfäwr

gan

Fred Green

Golygyddion:
Marian Elias ac Esyllt Nest Roberts

Argraffiad cyntaf: Gorffennaf 1984
Argraffiad Newydd: Gorffennaf 2015

ⓗ Y Teulu / Gwasg Carreg Gwalch

Cyhoeddwyr: Gwasg Carreg Gwalch

Rhif rhyngwladol: 978-1-84527-538-9

Mae'r cyhoeddwyr yn cydnabod cefnogaeth ariannol
Cyngor Llyfrau Cymru

Cynllun clawr: Eleri Owen
Llun y clawr: Osian Efnisien

Cyhoeddwyd ac argraffwyd gan Wasg Carreg Gwalch,
12 Iard yr Orsaf, Llanrwst, Conwy, LL26 0EH.
Ffôn: 01492 642031 Ffacs: 01492 641502
e-bost: llyfrau@carreg-gwalch.com
lle ar y we: www.carreg-gwalch.com

Cyflwynedig i'r teulu,
i Marian Elias ac Idris Jones,
ac er cof annwyl am y diweddar Guto Roberts

Map o Batagonia o 'Llawlyfr Y Wladychfa Gymreig' (1862)
Hugh Hughes (Cadfan Gwynedd, 1824-88)

Cynnwys

Rhagair i'r Argraffiad Newydd

Mae gen i gof plentyn o eistedd yn festri capel Pencaenewydd un noson, yn un o gyfarfodydd y Gymdeithas Lenyddol, pan gerddodd dyn main i mewn drwy'r drws gyda merch ifanc wrth ei ymyl. Mae'n rhaid bod y ddau wedi creu argraff arna i oherwydd fe arhosodd eu hwynebau yn fy nghof am dros ddeg mlynedd ar hugain, yn ogystal â'r atgof eu bod yn dod o wlad swynol bell, bell i ffwrdd ac yn cario'r cyfenw rhyfedd 'Green' – ond rhyfeddach fyth i mi oedd y ffaith eu bod hefyd yn siarad Cymraeg. Nid y nhw oedd yn annerch y noson honno ond roedd Guto Rhoslan yn meddwl y byddai trigolion Pencaenewydd yn hoffi eu cyfarfod ac felly daethai â nhw am funud i'r festri cyn mynd ar eu hynt i rywle arall.

Rai blynyddoedd yn ddiweddarach, wrth weithio yng Ngwasg Carreg Gwalch, Llanrwst, digwyddwn fod yn golygu cyfrol o'r enw *Eldorado*, sef hanes taith Twm Morys ac Iwan Llwyd yn Ne America. Ynddi deuthum ar draws yr hanesyn canlynol:

Yn ein blaenau drwy Esquel i Drefelin yn y Cwm Hyfryd, o dan y Graig Goch. Ac yno roedd Iwan am farchogaeth ceffyl. Felly dyma fynd i chwilio am estancia *Fred Green... A dyna droi oddi ar ffordd Trefelin i lôn wen lychlyd Pennant. Roedd pennau'r mynyddoedd mawr yn wyn gan eira. Ond roedd caeau Fred Green yn las, las, a'r coed yn iraidd hyd lan yr afon loyw. A dyna lle'r oedd yr hen ŵr mwyn o flaen ei dŷ ar y poncyn, a'i ŵn nos amdano, a slipars, a sbectols du a chap bêsbol, yn* gwneud sŵn cogor a chocian mawr, ac yn rhoi sgeg swnllyd bob hyn a hyn i dun yn ei law. Chlywodd o monon ni'n ei gyfarch o o bell, ac wedyn o agos. Roedden ni ar ei wartha cyn iddo fo droi ei ben. 'A dach chi wedi gweld fy ieir i, hogia?' meddai dan weiddi. Roedd y dyn yn fyddar fel cilbost, a'i olwg yn wael, a'i ddannedd o oedd y dannedd gwaetha' welais i ym mhen neb erioed. Ond roedd o'n byrlymu o ddireidi, a doedd dim pall ar ei go' yn bloeddio hanes y Tadau yn dod dros Graig Goch i olwg Cwm Hyfryd, a hanes ei deulu o ar lan yr afon loyw, sef Afon Irfon, a'i Gymraeg o heb fymryn o'r dinc Ladinaidd sydd gan Gymry'r Gaiman. Ond doedd o ddim yn cadw ceffylau ddim mwy. Rhy hen, rhy hen, meddai. Gyrrodd ni at ei fab hyna' i ffarm y Greenlands i lawr y lôn. Ac yn fan'no mi gafodd Iwan ddangos ei orchest yn tuthio a charlamu, ac yn llamu llidiardau, dan chwifio'i het.

Fred Green! Mi ganodd yr enw'n glir yn fy mhen fel sŵn cogor yr hen dun ond feddyliais i ddim mwy wedyn am Batagonia. Hynny ydi, tan imi gael swydd athrawes yn y Wladfa ac erbyn 2004 roeddwn i yn y Gaiman. Yno cyfarfûm â hogyn a ddaeth ymhen dwy flynedd yn ŵr i mi ac wrth ddod i adnabod Cristian deuthum i adnabod ei deulu, a hanes diddorol ei gyndeidiau, pob un wan jac yn Gymry, ac adnabod ei nain, Uriena Ynver Rhys de Lewis a fagwyd gyda neb llai na'i chefnder cyntaf, Fred Green. Ond yn anffodus chefais i mo'r cyfle i adnabod 'Tío Freddy' ar ei baith ei hun gan iddo ymadael â'i Batagonia hoff ym mis Chwefror 2002. Fodd bynnag, yn ogystal â darllen hanes ei fywyd yn *Pethau Patagonia*, rwyf wedi cael y cyfle i ddod yn

9

gyfarwydd â llu o straeon difyr am y cymeriad hynod, hynod liwgar gan deulu fy ngŵr. Cefais hefyd rai hanesion am ei blentyndod gydag Uriena yn Greenland, eu ffarm yn Nyffryn Camwy lle byddai Gwenonwy, mam Fred, yn mynnu bod y ddau fach yn cysgu allan mewn ystafell agored gyda waliau weiran yn yr haf er mwyn clirio'u hysgyfaint yn yr awyr iach. ' "*Such is life*" fel y dywedai Freddy' yw un o hoff ddydwediadau Uriena hyd heddiw, a hithau'n gant namyn un mlwydd oed eleni ac yn dal i gofio'n annwyl iawn am y cefnder a fu fel brawd gwarcheidiol iddi.

Yn ystod hafau poeth Dyffryn Camwy byddwn yn mynd ar ein gwyliau i Bennant, y cartref helaeth a gododd Fred i'w deulu ar droed yr Andes. Yno wrth y stôf goed yn y gegin ni allaf lai na theimlo presenoldeb Vera a fu'n graig gadarn i'r cymeriad byrlymus ar hyd y blynyddoedd. Un o anturiaethau'r gwyliau yw cael mynd ar gefn y beic 'cwad' chwe olwyn glas a fewnforiwyd gan Fred i'r Ariannin. Yn ôl y sôn, mi fewnforiodd awyren fechan hefyd, a had gwartheg duon Cymreig, ac afancod o ogledd America er mwyn creu argaeau yn afonydd yr Andes. Ond efallai mai dim ond chwedlau ydyn nhw... Yn sicr, mae'r dyn ei hun yn rhyw fath o chwedl erbyn heddiw.

Cefais hefyd y fraint o ddod i adnabod disgynyddion Fred Green, yn enwedig ei ddwy ferch, Mary ac Alwen, a phan ddaw'r cyfle inni fynd ar draws y paith i Drevelin, taith o ryw wyth awr i ffwrdd o Ddyffryn Camwy, teimlaf fy mod yn cael dos helaeth, adfywiol o Gymreictod yn eu cwmni. Wedi eu magu ar aelwyd Gymraeg Pennant, yn ferched ffarm o'r iawn ryw, wedi ymroi eu bywydau i'r 'pethe' Cymraeg yng Nghwm Hyfryd, mae'r ddwy yn bileri'r gymdeithas ac yn hynod weithgar yn eu bro. Priododd y ddwy ohonynt fechgyn o dras Eidalaidd a Sbaenaidd, a magu eu plant, er yn Gymreig, yn ddi-Gymraeg. Anodd amgyffred beth feddyliai Fred o hynny. Mae'r ddeuoliaeth yn rhyfedd a dweud y lleiaf ond efallai'n ddim mwy nag adlewyrchiad o'r gymdeithas y'u magwyd hwy ynddi. Fodd bynnag, heddiw, mae Sara ac Enrique, plant Mary wedi dysgu'r Gymraeg a Sara wedi dychwelyd i fyw i Drevelin ar ôl cyfnod yn y brifddinas ble mae hithau, fel ei mam, yn weithgar iawn ym mywyd Cymraeg Trevelin. Mae Alin, mab Alwen, yntau yn rhan o gymdeithas Gymreig Buenos Aires ac yn mynychu gwersi Cymraeg, ac Aldo ei gŵr yn eithriadol o weithgar yn y gymdeithas yn Nhrevelin ac yn cefnogi ymdrechion diwylliannol Cymreig y fro. Mae teuluoedd Charlie a Margarita, ac Erik a Sylvia, dau fab a merched yng nghyfraith Fred a Vera, hefyd yn weithgar iawn ym mywyd Cymraeg Cwm Hyfryd a Dyffryn Camwy. Oedd, roedd Cymreictod Fred Green yn gwbl allweddol i'w fywyd fel y gwelwch yn y gyfrol hon; gadawodd yr etifeddiaeth honno o'i ôl ac fe ddeil ei ddisgynyddion i fod yn gynheiliaid gwerthoedd eu tad a'u taid yn eu bywydau hwythau.

Daeth yr argraffiad cyntaf o *Pethau Patagonia* gan Gyhoeddiadau Mei i olau dydd yn 1984, diolch i waith cofnodi a golygu manwl Marian Elias a chymorth Guto Roberts ac Idris Jones. Roedd Patagonia Fred Green yn y 1980au yn bur wahanol i Batagonia ei fore oes yn negawdau cynnar y ganrif honno. Ond yn ddiamau, gwelodd Fred newidiadau sylweddol ym mlynyddoedd olaf ei oes hefyd ac felly, yn yr argraffiad newydd hwn, gadawn i'w ferch ieuengaf, Alwen, lenwi'r bennod olaf yn hanes eu tad. Cawn hefyd atgofion Sara, ei wyres, yn ogystal â phennod hynod dreiddgar am rai agweddau a fu'n sicr eu dylanwad ar Fred Green gan Robert Owen Jones, cyfaill agos i'r teulu ers dros ddeugain mlynedd.

Yn y gyfrol unigryw hon cofnodir talp o hanes un gŵr a oedd yn Gymro i'r carn, yn Archentwr Cymraeg ac yn amaethwr diddorol, mentrus ac eithriadol iawn. Diolch i Wasg Carreg Gwalch am gyhoeddi argraffiad newydd ar gyfer cenhedlaeth newydd o ddarllenwyr yng Nghymru ac yn yr Ariannin sy'n dymuno adnabod un o gymeriadau mwyaf lliwgar y Wladfa a hanes y bröydd Patagonaidd y bu'n byw ynddynt, a hynny ym mlwyddyn dathlu canrif a hanner y Wladfa Gymreig.

Esyllt Nest Roberts
Ebrill 2015

Rhagair

Y mae ugain mlynedd er pan deledwyd ffilmiau Nan Davies ar y Wladfa gan BBC Cymru, ond arhosodd un olygfa yn fyw ar fy nghof ar hyd y blynyddoedd, sef cae anferth o wenith ar ddiwedd y ffilm, a bachgen bychan yn sefyll ar ei ganol. Charlie Green oedd ei enw. Cwestiwn Nan Davies, wrth gloi'r ffilm oedd: Tybed ai'r bachgen hwn a fyddai un o'r rhai olaf i siarad y Gymraeg yn y Wladfa?

I sicrhau fod y bachgen bach hwnnw'n cael ymgydnabyddu â'i dras Gymreig anfonodd ei rieni ef, a'i chwaer Mary, wyth mil o filltiroedd oddi cartref i Ysgol Tregaron ac yno y buont am ddwy flynedd. Yn ogystal, graddiodd Mary yn y Gymraeg a'r Sbaeneg yng Ngholeg y Brifysgol, Abertawe. Rhoddwyd yr un cyfle i'w brawd a'u chwaer iau i dreulio peth amser yng Nghymru – Erik Iolo i weithio ar ffarm a mynychu Coleg Amaethyddol Llysfasi ar yr un pryd, ac Alwen i dreulio dwy flynedd yng Nghymru, un ohonynt yng Ngholeg Addysg Bellach Aberystwyth.

Pedwar plentyn Fred Green oeddent, ffarmwr a lwyddodd i wneud bywoliaeth ar beithdir anial Patagonia ac ar borfeydd gwelltog Cwm Hyfryd. Y llynedd, yn haf 1983, ymwelodd â Chymru am y pumed tro ac yn ystod y deufis a dreuliodd yma bu wrthi'n adrodd yr hanes hwn.

Mewn cyfnod mor fyr nid oedd yn bosibl gwneud rhagor na chodi cwr y llen yn unig ar y Wladfa a'i phobl, a'r nod oedd canolbwyntio ar hanes ei deulu ef ei hun yn bennaf a rhoi i ni gip ar fywyd ffarmwr y tir pell hwnnw sydd â chysylltiadau mor glos â Chymru. Ceisiwyd hefyd glymu ac impio'r cyfan i gefndir yr hen foncyff a wreiddiodd yno dros ganrif a chwarter yn ôl.

Y mae fy nyled i Idris Jones o Goleg Technegol Gwynedd am ei gysylltiadau cyson â'r awdur. Rwy'n ddiolchgar hefyd i Gyhoeddiadau Mei a Guto Roberts am eu harweiniad a'u cymorth wrth baratoi'r gyfrol ac i'm brawd, Twm Elias, am ei awgrymiadau gwerthfawr.

Marian Elias
Haf 1984

Fy Nain

Yn chwedegau'r bedwaredd ganrif ar bymtheg sylwodd dwy groten o ardal Bethesda, Arfon, fod rhyw ddyn yn eu dilyn i ba le bynnag yr elent, ac un noson, tra buont yn ymguddio rhagddo, dywedodd y naill wrth y llall, 'Rydw i am fynd i Batagonia o'i ffordd o.'

'Mi ddo' i efo ti,' meddai'r llall.

Y ddwy groten oedd Grace Roberts ac Elisabeth Pritchard – fy nain.

Penderfyniad beiddgar a dewr ydoedd hwn a dewrach fyth fu ei wireddu ac ymuno â'r fintai gyntaf o ymfudwyr i'r Wladfa ym Mhatagonia. Atyniad mawr Patagonia oedd mai i'r wlad honno yr ymgyrchwyd fwyaf yn y bedwaredd ganrif ar bymtheg i ffrydio llif yr ymfudwyr iddi gyda'r bwriad, wrth gwrs, o greu Cymru newydd. Ond hyd yn oed cyn cychwyn gorfu i'r ymfudwyr cyntaf hynny wynebu problemau a bu raid iddynt aros am rai wythnosau yn Lerpwl oherwydd bod perchenogion y llong y cytunwyd iddi eu cludo yno wedi torri eu gair. Torrodd rhai eu calonnau ac ymfudo i wledydd eraill, a hynny rhag tlodi a newyn a ddaeth yn sgîl cnydau aflwyddiannus, trethi uchel i dalu am y rhyfel yn erbyn Ffrainc, codi rhenti'r tyddynnod gwael a chau'r tiroedd comin.[1] Yn y flwyddyn 1847, er enghraifft, dywed Hugh Pugh mewn llythyr fod prinder llongau i gludo ymfudwyr a'i fod wedi gorfod gwrthod lle i dros fil o bobl ar fwrdd ei long.[2]

Er i rai ymfudo i wledydd eraill, glynu at eu penderfyniad gwreiddiol a wnaeth Grace Roberts ac Elisabeth Pritchard fodd bynnag, ac yr oeddent ymysg y fintai gyntaf a hwyliodd ar fwrdd y *Mimosa* ar yr wythfed ar hugain o Fai 1865.

Yn ôl yr hanes teithiai 136 o'r 153 o deithwyr ar ddec y llong a dau ar bymtheg yn y caban. Clywais fy mam yn dweud fel y ganwyd dau faban ac y bu farw dau arall a bachgen dwyflwydd oed yn ystod y deufis y buwyd ar y môr. Cawsant ddwy storm fawr a bu bron i'r llong fregus gael ei dryllio. Ymhlith yr ymfudwyr yr oedd teiliwr ifanc o'r enw Dafydd Williams a oedd wedi penderfynu mai ef fuasai'r cyntaf i roi ei droed ar wlad yr addewid. Y diwrnod cyntaf wedi cyflawni'r gorchwyl hwnnw gofynnodd i'w gariad, sef fy nain, fynd gydag ef i chwilio am ddŵr i'w yfed, ond gorfu iddi wrthod am ei bod yn rhy brysur yn golchi. Aeth yntau i ben y bryn cyfagos ond nis gwelwyd ef yn fyw byth wedyn. Ymhen blynyddoedd y cafwyd hyd i'w weddillion mewn lle a elwir hyd heddiw yn Bant yr Esgyrn.

Priododd fy nain wedi hynny â Twmi Dimol a fu'n stiward ar y *Mimosa*. Yr oedd yn dipyn o fardd ac yn gyfeillgar iawn â Cheiriog. Yn ôl yr hanes aeth i ryw dafarn neu'i gilydd lle y cynhelid eisteddfod. Daeth cyfaill y tu cefn iddo gan roi ei ddwy law ar ei ysgwydd a'i gyfarch fel hyn:

A dyma Dwmi Dimol
Llawen ei fyd, yn llanw ei fol.

Y mae'r llythyr maith a ysgrifennodd at ei gyfaill Ceiriog,[3] dyddiedig Mehefin 20fed, 1866, ar gael hyd heddiw, a rhydd ddarlun byw o'r caledi a ddioddefodd yr Hen Wladfawyr yn ystod eu blwyddyn gyntaf yn y Wladfa. Ymhen mis ar ôl iddynt lanio wynebent newyn mawr, ac meddai: 'Fe welais i amser y buasai llwynog yn cael ei fwyta yn awchus, a'r dylluan hefyd a'r gwalch.'

Pan na fyddai'r danteithion hynny ar gael dibynnid ar drwyth o ddŵr a halen, a thipyn o flawd ceirch neu friwsion bara a dail te ynddo, a byddai'n rhaid i nifer o'r dynion a'r merched gyrchu dŵr y môr i wneud y potes hwnnw, taith o ddeuddeng milltir yno ac yn ôl. Dro arall byddent yn berwi ac yn bwyta *cactus* a gwreiddiau a dyrchent o'r paith.

Am gyfnod byr wedyn llwyddwyd i gael llong fechan i gludo nwyddau o Borth Madryn i Drerawson ar lannau Afon Camwy lle'r oedd yr ymfudwyr wedi dechrau ymsefydlu, ond erbyn mis Tachwedd 1866 yr oedd yn rhy fregus i hwylio rhagor. Mewn anobaith llwyr rhoddodd Lewis Jones y gorau i'w swydd fel Cadeirydd y Cyngor gan annog pawb i adael, ond yn fuan wedyn daeth gwaredigaeth pan gyrhaeddodd llong i Borth Madryn o Buenos Aires. Pan ddychwelodd i Buenos Aires yr oedd William Davies, y Cadeirydd newydd, ar ei bwrdd, a'i neges ef oedd ceisio darbwyllo'r Llywodraeth i gyflenwi bwyd i'r Gwladfawyr am flwyddyn.

Dyma eiriau Twmi Dimol am yr amgylchiad hwnnw:

Daeth William Davies yn ei ôl ddechrau mis Mawrth mewn llong fechan yn cario 25 tunnell. Costiodd 30,000 o ddoleri papur, yr hyn sydd tua dau gant a hanner o bunnau. Daeth â hi yn llawn ymborth, megis blawd, gwenith, peilliad, dried beef, *siwgwr a phethau eraill, a chafodd addewidion gan wahanol fonheddwyr Buenos Ayres am 700 doler y mis i ni am flwyddyn, yr hyn sydd tua £70 o arian Lloegr.*

Enw ein llong fechan yw Denby, sef ar enw ein cymwynaswr . . . Y mae llythyrau i'r Wladychfa, a nwyddau ac ymborth, yn cael eu hanfon o Buenos Ayres i Patagones, tref fechan ar yr Afon Negro, ac yr ydym ninnau yn eu nôl oddi yno yn y Denby . . .

Byr fu parhad ei obeithion, fodd bynnag. Methodd y cynhaeaf y flwyddyn honno a'r flwyddyn ddilynol, gan na chafwyd glaw, wynebwyd rhagor o newyn ac aeth y *Denby* yn rhy fregus i wrthsefyll y stormydd geirwon a'r gwyntoedd cryfion. Hwyliodd o Patagones ar Chwefror 16eg, 1868 gyda llwyth o nwyddau oddi wrth y Llywodraeth a phedwar ych, ond ar ei ffordd yn ôl i Borth Rawson fe'i drylliwyd mewn storm ac fe'i chwythwyd i'r de o Afon Camwy gan foddi'r criw o chwech o sefydlwyr, yn cynnwys Twmi Dimol ei hun. Ymhen blynyddoedd wedyn daeth llong o'r Malvinas o hyd i weddillion criw bach y *Denby* heb fod nepell o Bwynt Tombo. Yno hefyd cafwyd botymau arbennig ar un o'r cyrff wedi ei lapio mewn cynfas hwyl, ac adwaenodd fy nain hwy ar unwaith fel y rhai a geid ar lifrai Twmi Dimol, ei gŵr.

Gadawyd fy nain yn weddw gyda dau blentyn bach ac yn ddiweddarach priododd â Richard Jones Berwyn. Arferai ef ddweud iddo briodi ei wraig ddwywaith, yn gyntaf â Twmi Dimol yn rhinwedd ei swydd fel Cofrestrydd y Wladfa, a'r eildro fe'i priododd hi ei hun.

Roedd fy nain, yn ddiamau, yn wrol iawn dan bob amgylchiad. Clywais amdani pan oedd tipyn o helbul ynglŷn â'r llywodraeth newydd yn y flwyddyn 1883. Anfonwyd prwyad newydd i Drerawson a geisiodd gadw rheolaeth ar y Cymry. Yn sail i'w gwynion yr oedd ystadegau wedi eu cyhoeddi am sefyllfa'r ymfudwyr, megis mai Cymraeg oedd unig iaith yr ysgolion ac mai pum plentyn yn unig a fynychai ysgol y llywodraeth. Yr oedd y Cymry hwythau yn cwyno na roddid iddynt hawl i lywodraeth leol. Aeth y si ar led am

Elisabeth Pritchard a Richard Jones Berwyn
(nain a thaid Fred) a rhai o'u plant (c. 1888)

ei fwriad i garcharu Lewis Jones a phan welodd fy nain griw
o ddynion yn cerdded ar hyd glan yr afon – nid oedd
pontydd i'w cael dros Afon Camwy y pryd hynny a
defnyddid ychydig o gychod i'w chroesi – sylweddolodd
hithau mai dod yr oeddent i gyrchu Lewis Jones. Yr oedd y
cwch agosaf i gartref Lewis Jones yn eiddo i 'Nhaid Berwyn.
Dyma hi i mewn i'r cwch gan ddweud wrthynt nad oedd
ganddynt hawl i'w gymryd, mai ei heiddo hi ydoedd. Ond
fe'i bygythiwyd a phan geisiwyd gafael ynddo malodd fy
nain un o'r estyll ar ei waelod â bwyell fechan fel nad oedd
yn bosibl iddynt ei ddefnyddio i fyned yn groes i'r afon i
gyrchu Lewis Jones, ac felly fe bwrcasodd hithau ragor o
amser iddo yntau i ymbaratoi erbyn ei garchariad. Yn
ddiweddarach aeth fy Nhaid Berwyn at yr awdurdodau i

gwyno am y carchariad ond o ganlyniad fe'i carcharwyd yntau hefyd, a chadwyd y ddau am ddeng niwrnod. Fe'u rhyddhawyd ar ôl derbyn datganiad nad oeddent wedi bwriadu amharchu'r awdurdodau.[4]

Merch amddifad o Gaergybi oedd fy nain yn wreiddiol, ac roedd ganddi hi frawd. Magwyd y ddau gan hen bâr ym Methesda, a chredaf mai Llain Hir oedd enw eu cartref yno.

[1] Lewis Jones, *Y Wladva Gymreig yn Ne America*, Caernarfon, 1818, t. 46-48.

[2] R. Bryn Williams, *Y Wladfa*, Gwasg Prifysgol Cymru, 1962, t.2.

[3] *Cymru*, Cyf. XXXVII, gol. Owen M. Edwards, t. 23-27, Caernarfon, 1910.

[4] R. Bryn Williams, *Y Wladfa*, t. 177: 'Derbyniodd Lewis Jones ei ryddhad dan brotest, gan ddweud y buasai wedi mynd â'r achos trwy'r llys onibai ei fod yn rhy dlawd i wneud hynny.'

Taid Berwyn

Ganed fy nhaid, Richard Jones Berwyn, yn aelod o deulu mawr ar ffferm Pont-y-Meibion, Glyn Ceiriog, gogledd Cymru, ar Hydref 31ain, 1837, a bu farw yn Bod Arthur, ei gartref yn agos i Drelew, ddydd Nadolig 1917. Richard Jones oedd ei enw bedydd ond fel Taid Berwyn yr adwaenwn i ef. Roedd Berwyn yn gyfenw a fabwysiadodd wedi cyrraedd y Wladfa gan fod yno Richard Jones eraill ymhlith y fintai, a daeth mabwysiadu cyfenwau newydd yn weddol gyffredin yn eu plith. Daeth Hugh Hughes yn Hugh Hughes Cadfan, daeth Rhydderch Jones yn Rhydderch Iwan, i enwi dim ond dau arall sydd â'u disgynyddion yn dal i arddel y cyfenwau hynny yn yr Ariannin heddiw.

Yr oedd Taid yn un o ddeg o blant. Yr hynaf oedd John, yntau Richard yn ail, yna Maria, Dafydd, Annie, Sarah, Edward, Mary, Hugh a William Lloyd.[1]

Bachgen eiddil ydoedd Richard ac yn weddol ieuanc dioddefodd ddamwain a allasai fod wedi bod yn angheuol iddo, ond yn ffodus, trwy ofal ei fam a morwyn a gynorthwyai ar y ffarm, fe'i hachubwyd. Tebyg i hyn oedd yr hanes yn ôl fy mam. Fe'i hanfonwyd ef allan yn gynnar ryw fore – pan oedd yn weddol ieuanc – i gyrchu'r ceffylau at waith y ffarm. Wrth eu gyrru o'i flaen fe aeth yn rhy agos at un ohonynt ac fe'i ciciwyd yn ei dalcen gan ei ddymchwel yn hollol ddiymwybod. Ymhen rhawd o amser fe anfonwyd y forwyn i chwilio amdano, ac fe'i cafodd hithau ef yn ddiymadferth ar y cae. Roedd hi'n eneth gref mae'n amlwg, gan iddi ei godi ar ei hysgwydd a'i gario tua'r tŷ ac i mewn i'r gegin. Yno fe'i gollyngodd ar y bwrdd mawr gan ddweud wrth ei fam: 'Wel dyma fo, mae o wedi gorffen ichi.'

Ond gydag amynedd a gofal, fe'i hachubwyd ac ymhen amser daeth yn holliach. Er hynny ni lwyddodd i anghofio'r gic honno am weddill ei oes canys, os sylwch ar ei luniau, gwelwch fod ei het bob amser wedi ei chodi ychydig yn ôl ac i'r naill ochr ar ei ben, a hynny oherwydd y lwmp oedd ar ei dalcen.

Perthyn i enwad y Methodistiaid yr oedd ei deulu a rhwng yr ysgol a'r capel daeth yn astudiwr manwl ac egnïol gan barhau felly ar hyd ei oes. Darllenai am rai munudau cyn mynd i gysgu bob nos, ac os byddai'r amgylchiadau yn caniatáu elai'r munudau yn oriau. Mynychai'r ysgol yn Llangollen. Tramwyai yno ar droed gan amlaf, dros fynyddoedd y Berwyn, a daeth yn ddisgybl-athro yno ymhen y rhawg. Yna aeth i astudio i Athrofa Borough Road yn Llundain, man lle y llwyddodd i gael trwydded athro.

Cymerai ddiddordeb dwys yn ei gydgenedl, ei diwylliant a'i pharhad a chan fod ymfudo mawr bryd hynny i wahanol rannau o'r byd, yn neilltuol i Ogledd America, fe aeth yntau yno yn gymharol ieuanc. Efrog Newydd yw'r enw a ddefnyddiai ef yn wastad am *New York*, man lle y bwriadai ymsefydlu, ond pan gyrhaeddodd yno nid oedd yn hoffi'r amgylchiadau. Un peth a'i poenai oedd oerni'r gaeaf. Arferai adrodd wrth ei blant am yr amgylchiad pan welodd ddyn wedi trengi i farwolaeth oherwydd yr oerni. Effeithiodd hynny'n ddwfn arno. Ni chytunai ychwaith â chwalu'r Cymry i wahanol ardaloedd yn yr Unol Daleithiau a phan ddychwelodd i Gymru dechreuodd weithio'n frwd i hyrwyddo'r Mudiad Gwladfaol. Yr oedd yn fachgen naw ar hugain oed pan ymfudodd i Batagonia ar y *Mimosa*.

Wedi cyrraedd yno yr oedd Berwyn ymhlith y dynion

Elisabeth Pritchard a Richard Jones Berwyn
(nain a thaid Fred) a rhai o'u plant (c. 1878)

cyntaf i gerdded yn groes i'r paith anial, garw, hyd y fan lle ceir prifddinas y dalaith heddiw, Trerawson. Y bwriad oedd dechrau ar y gwaith o dorri coed i godi tai yno. Un ceffyl yn unig oedd ganddynt i gludo eu llwyth a buont yn teithio am bum niwrnod gan ddioddef newyn a syched mawr.

Yn ddiweddarach daeth yn gyfeillgar iawn â rhai o'r brodorion. Yn eu cwmni hwy y dysgodd hela'r sgwarnog, yr estrys a'r gwanaco, a hynny a fu achubiaeth y Gwladfawyr yn ystod y blynyddoedd cyntaf. Pan gollasant eu defaid a'u gwartheg a'u ceffylau ar y paith, helwriaeth a'u cadwodd yn fyw. Nid oedd Berwyn yn berchen ceffyl ond yr oedd yn heliwr medrus a gwnâi delerau i rannu'r helfa rhwng rhai o'i gymdogion ac ni châi yntau wedyn drafferth i fenthyca ceffyl gan un ohonynt hwy. Dysgodd drin y peli *boleadoras*, prif erfyn hela'r brodorion, yn ddeheuig iawn. Tair pêl garreg ydoedd y rhain, wedi eu gosod mewn tair cainc o groen, a'r gamp fyddai eu troelli'n gyflym yn yr awyr a'u taflu am goesau anifail nes ei faglu. Yr anifail hawddaf a sicraf i'w ddal fyddai'r *mara*, sgwarnog Patagonia, sydd gryn dipyn yn fwy na'r un a geir yn Ewrop. Hi fyddai'r brif gynhaliaeth. Yn ail iddi deuai'r estrysod ac yn drydydd, y gwanaco. Delid y ddau olaf am eu plu neu grwyn yn ogystal â'u cig.

Parhaodd helwriaeth i fod yn bwysig hyd oni ddarganfuwyd yr allwedd i ffyniant y Wladfa, ym mis Tachwedd 1868, sef dyfrhau'r tir.[2]

Nid am ei allu i hela y cofir am Berwyn, fodd bynnag, ond am nifer fawr o bethau eraill. Ef oedd un o'r deuddeg aelod o'r Cyngor a etholwyd i lywodraethu'r Wladfa ac ef oedd yr Ysgrifennydd. Bu'r Cyngor hwn mewn grym am flynyddoedd. Gweinyddid popeth yn Gymraeg, yn cynnwys y llysoedd, a rhoddid pleidlais ddirgel i bawb, yn cynnwys merched, a hynny flynyddoedd cyn bod sôn am y naill beth na'r llall yn yr Hen Wlad.

Ef oedd y Cofrestrydd hefyd. Cofnodai yn fanwl bob marwolaeth naturiol a threngholiad, pob priodas, genedigaeth a phob digwyddiad hynod yn y Wladfa. Ef oedd y postfeistr cyntaf. Yn y Llyfrdy, fel y'i galwai, y gwnâi'r dyletswyddau hyn pan oedd yn byw yn Nhrerawson a dywedai fy mam nad oedd hi'n gybyddus iawn â'i thad gan y cychwynnai mor fore ac na ddychwelai tan yn hwyr y nos a byddai hithau bryd hynny wedi mynd i orffwys. Gweithiwr dyfal iawn ydoedd. Yr unig amser y cawsai ei gwmni yn weddol reolaidd fyddai pan ddeuai hi o'r ysgol i gael ei chinio gydag ef yn y Llyfrdy ac ar y Sul. Ymysg papurau fy mam y mae copi o'r gwerslyfr cyntaf a argraffwyd ym Mhatagonia. Llyfr dysgu darllen i blant ydyw gyda hanesion mewn brawddegau byrion – y cwbl yn y Gymraeg ac mewn orgraff Wladfaol.[3] Gwaith fy nhaid, R. J. Berwyn, yw'r llyfr. Ef hefyd oedd yr ysgolfeistr cyntaf ym Mhatagonia ac y mae'r ysgol fawr a geir heddiw yn Nhrerawson, prifddinas y dalaith, yn dwyn ei enw ef: *Escuela Ricardo Jones Berwyn.*

Ar y cychwyn, cadwai'r ysgol hon yng nghysgod coed a drain ar lan Afon Camwy. Ei fwrdd 'du' fyddai croen tarw neu ych a gawsai ei drin yn arbennig at y pwrpas trwy ei wlychu a'i ymestyn. Ysgrifennai arno â golosg. Â cherrig llyfn o'r afon yr ysgrifennai'r plant. Yn ddiweddarach cafwyd ysgerbwd hen long i gadw ysgol a symudwyd ei chaban bron yn gyfan o'r traeth i fyny i'r dyffryn. Dychmygaf mai ar rafft o foncyffion ar y dŵr y llwyddwyd i gludo'r hen gaban a'i wthio i fyny'r afon, gan nad oedd trol yn y Wladfa yr adeg honno. Pan droai'r llanw cyn iddynt gyrraedd byddai'n rhaid iddynt aros ar y lan i ddisgwyl am yr un nesaf mae'n debyg, ond fy nychymyg i yw hynny.

Ymhen blynyddoedd – yn ôl a ddeallaf – trosglwyddodd y llywodraeth y swyddi hyn i gyd i Ladinwyr heb dalu'r un cent i'm taid am y gwaith trylwyr a wnaethai yn y blynyddoedd cyntaf hynny pan nad oedd neb addas arall i'w gael fel cofrestrydd, ysgolfeistr, postfeistr ac Ysgrifennydd y Cyngor. Yr oedd yn dipyn o siomiant iddo fo pan aed â'r cyfrifoldebau hyn oddi arno mor ddirybudd.

Un o nodweddion fy Nhaid Berwyn oedd ei fod yn fanwl iawn ynglŷn â iaith. Mynnai gael y plant a'i ddisgyblion i frawddegu'n gywir ac yn safonol. Pwysleisiodd wrth fy mam, a hithau arnaf innau wedyn, i siarad Cymraeg cywir. Nid oedd yn fodlon, ac nid oedd yn arferiad ymhlith y Gwladfawyr, i ddefnyddio geiriau Saesneg, megis Mr a Mrs ond yn hytrach Bonwr a Bones, sef byriadau o Bonheddwr a Boneddiges. Bonesig fyddai *Miss*. Dyma sut y byddwn ni Wladfawyr yn cyfarch ein gilydd hyd y dydd heddiw. Ni fyddwn byth yn dweud y Bonwr Huws neu'r Bonwr Jones ond cymerwn yr enw cyntaf yn unig, megis y Bonwr Richard, neu Richard Jones, neu, yn hollol syml, 'Sut ydych chi heddiw, bonwr?'

Dysgai bawb i ddweud *Rhifyddeg* yn hytrach nag *Arithmetic*, gwrthwynebai *cyw caseg* hefyd – *llwdn caseg* a ddywedai ef, ac mae'n bosib fod yr egwyddor a ddefnyddiai i ddysgu Cymraeg yn adlewyrchu ar ein hiaith ni heddiw.

Yr oedd fy nhaid, ymhlith ei amryfal ddiddordebau, yn cofnodi'r oerni a'r gwres bob dydd ac yn mesur y glaw a ddisgynnai. Yr oedd hefyd yn seryddwr. Adnabyddai'r sêr a'r planedau a dilynai eu cwrs yn fanwl. Cynhyrchai almanaciau am flynyddoedd lawer, ac *Almanac Berwyn* oedd safon y Gwladfawyr am flynyddoedd lawer ynglŷn â'u holl ddigwyddiadau.

Diddordeb arall a feddai oedd newyddiaduraeth. Efô a gyhoeddodd y newyddur cyntaf, a hwnnw yn y Gymraeg, wrth gwrs. Ymddangosodd yn 1868 dan yr enw *Y Brut*. Fe'i llawysgrifid ac fe'i hanfonid ar gylchdro ymhlith teuluoedd y Wladfa gyda'r gorchymyn ei fod i'w anfon at deulu arall ymhen deuddydd. Y tâl a godid amdano ydoedd dalen neu ddwy o bapur gwyn, er mwyn eu cael i ysgrifennu'r rhifyn nesaf. Credaf iddo ymddangos yn weddol reolaidd bob wythnos am rai misoedd ac ynddo llwyddid i adrodd newyddion, traethu barn ar wahanol bynciau a chadw'r diwylliant Cymraeg yn fyw. Fe'i dilynwyd gan *Ein Brein*. Credaf fod rhyw fath o wasg fechan ar gyfer hwnnw. Wedyn y daeth *Y Drafod* a sefydlwyd ym 1891, sy'n dal i fod mewn bodolaeth dan olygyddiaeth raenus Irma Hughes de Jones.[4]

Erbyn heddiw, prin yw'r wybodaeth am y cyfnod arloesol hwn, oherwydd yn y flwyddyn 1899 digwyddodd trychineb mawr yn hanes y Wladfa. Daeth gorlif mawr i orchuddio'r Dyffryn gan ysgubo popeth o'i flaen. Gorfu i bawb ffoi i'r bryniau am loches, a difrodwyd Trerawson yn llwyr. Collodd Berwyn ei holl bapurau, ei gofrestrau manwl a'i gofnodion a'i holl waith am y pedair blynedd ar hugain y bu yn y Wladfa, ac yn ôl tystiolaeth fy mam effeithiodd hyn yn drwm arno. Ymhen amser ceisiodd ailffurfio rhestr o'r manylion megis mordaith y *Mimosa* a'r fintai gyntaf, y priodasau, y genedigaethau a'r marwolaethau oddi ar ei gof ond nid oedd honno ond y ganfed ran o'r hyn a gollwyd yn y gorlif mawr.

---

[1] Ymgartrefodd Mary (a briododd Thomas William) a William Lloyd Jones (a fabwysiadodd yr enw William Lloyd Jones Glyn) yn y Wladfa.

[2] Wedi hynny llwyddwyd i dyfu gwenith a gwahanol gnydau a daeth y Wladfa yn hunangynhaliol.

[3] *Gwerslyfr i Ddysgu Darllen Cymraeg*, 1878. Defnyddir *x* am *ch*, v am *f* ac *f* am *ff* gan mai llythrennau o'r wyddor Sbaeneg yn unig oedd i'w cael.

[4] Er 2004 mae'r *Drafod* yng ngofal merch ac wyres Irma, sef Laura Jones de Henry a Rebeca Henry, ac Esyllt Nest Roberts yn olygydd arno.

Y Brodorion

Yn fuan wedi i'r Hen Wladfawyr gyrraedd Dyffryn Camwy codasant gapel bychan a thra oeddent yn addoli ynddo un Sul daeth teulu o frodorion heibio. Aeth y gynulleidfa allan i'w cyfarfod, yn crynu gan ofn, heb wybod beth i'w ddisgwyl a heb wybod beth i'w wneud gan na ddeallent yr un gair o'u hiaith. Yn yr awyrgylch drydanol honno dyma un o'r gwragedd o blith y Gwladfawyr, a oedd â phlentyn bychan yn ei chôl, yn ei estyn i frodores, a hithau yn gafael ynddo ac yn ei wasgu i'w mynwes â gwên lydan ar ei hwyneb. Cychwyn rhagorol oedd hwnnw i gyfeillgarwch parhaol rhwng y brodorion a'r Cymry.

Perthyn i lwyth y Teweltsiaid yr oedd y teulu hwnnw ac y mae'n bwysig gwahaniaethu rhyngddynt hwy a llwyth arall o frodorion, yr Arawcaniaid. Pobl y gogledd oedd yr Arawcaniaid, rhai mwy rhyfelgar a chyfrwys na'r Teweltsiaid, ac y mae'n bosibl mai eu cyswllt â'r dyn gwyn a oedd yn gyfrifol am hynny gan fod yr Ewropeaid yn gwasgu arnynt yn y gogledd. Llwyth yr Arawcaniaid ac nid y Teweltsiaid a laddodd y tri Chymro a oedd yn gymdeithion i John Daniel Evans y *Baqueano* pan lwyddodd ef i ddianc ar gefn ei geffyl Malacara yn 1884. Yr oedd y llwyth arbennig hwnnw wedi ei orfodi i ddianc o'r gogledd heibio i Afon Limai a'r Nahuel Huapi a dod i lawr i gyffiniau'r hyn a elwir heddiw yn Esquel i diriogaeth y Teweltsiaid. Yno ceid rhyfela cyson rhwng y ddau lwyth. Y mae'n bosibl i'r elyniaeth hon fod yn ffafriol i selio cyfeillgarwch y Cymry a'r Teweltsiaid a bod y Teweltsiaid wedi meddwl y buasai'r Cymry yn eu cynorthwyo i erlid yr Arawcaniaid.

Pobl ddymunol, radlon, hael, parod eu cymwynas oedd y Teweltsiaid. Os oedd gwendid ynddynt, tuedd i fod yn eiddigeddus o'u cyd-ddynion oedd hwnnw. Os rhoddid rhyw anrheg fechan ddisylw i un ohonynt yr oedd yn ofynnol gofalu rhoi un i'r gweddill hefyd neu fe ddigient fel plant. Yr oeddent yn hollol lawrydd, rhannent bopeth â'i gilydd ac iddynt hwy nid oedd y fath beth ag eiddo personol. Yr oedd hynny i'w weld yn amlwg iawn yn eu cyfarfyddiadau cyntaf â'r Gwladfawyr. Pan welent dŷ aent i mewn iddo yn un haid gan sgrialu popeth. Pan ddechreuodd y Cymry gau eu drysau rhagddynt fe'u cythruddwyd ond goresgynnwyd y broblem honno i raddau trwy roi bwyd iddynt. Yr hyn a'u boddhâi fwyaf fyddai cael torth, a'r gair cyntaf a ddysgwyd ganddynt yn y Gymraeg oedd 'bara'. Byddent yn barod i roi caseg neu geffyl neu unrhyw beth arall a feddent am dorth o fara ac, wrth gwrs, yr oeddent yn hollol rydd gyda'u bwyd a'u pethau eu hunain. Pan welsant fod y Cymry yn brin o fwyd a cheffylau y peth cyntaf a wnaethant oedd rhoi ceffylau a chŵn iddynt a'u dysgu sut i hela. Yn wir, y fendith fwyaf a gafodd y Cymry yn y Wladfa oedd cyfeillgarwch llwyth y Teweltsh.

Yn ei lyfr *At Home with the Patagonians*,[1] disgrifia Capten Musters y bobl hyn yn drwyadl. Bu'n byw yn eu mysg am flwyddyn. Pobl symudol oeddent: nomadiaid yng ngwir ystyr y gair. Roeddent yn byw ar helwriaeth a chan fod yr anifeiliaid y byddent yn eu hela yn dod yn gyfrwysach ac yn anos i'w dal, gofalai'r brodorion eu bod yn ymlid heidiau newydd na chawsent eu hela o'r blaen. Golygai hyn mai anaml yr arhosent am ragor na diwrnod neu ddau yn yr un lle. Cychwynnai'r dynion o'r gwersyll ar doriad gwawr, a byddai pob un wedi dal ei geffyl yn barod y noson cynt rhag colli dim amser yn y bore. Nid arferai'r brodorion fwyta brecwast cyn cychwyn i hela a gadewid unrhyw fwyd a fyddai'n weddill o'r noson cynt i'r gwragedd a'r plant. Eu brecwast hwy eu hunain fel rheol fyddai rhan o iau a gwaed yr aderyn neu'r anifail cyntaf a ddalient. Os elai hi'n wan ar yr hela a hwythau'n methu â dala dim byd tan y nos, y drefn fyddai 'Peidio â dala, peidio â bwyta'.

Ar droed yr arferid hela am ganrifoedd ond gyda dyfodiad ceffylau daeth eu bywyd yn haws o lawer. Rai misoedd yn ôl, fodd bynnag, dywedodd y Bonwr Gweirydd Iâl Jones o Gwm Hyfryd wrthyf iddo fod yn llygad-dyst o'r Teweltsiaid yn hela gwanacod ar droed pan oedd ef yn blentyn yn Sarmiento, a rhyfeddod o'r mwyaf i mi yw fod eto ddyn yn fyw a eill dystio i ddigwyddiad o'r fath. Mae'n debyg mai'r rheswm am yr achlysur arbennig hwnnw oedd mai tymor go fain fu hi a'r ceffylau mewn cyflwr drwg neu hyd yn oed eu bod wedi colli'r ceffylau.

Ceisiaf roi crynhoad yma o'r disgrifiad a roddodd y Bonwr Gweirydd i mi am yr hela. Eu herfyn oedd peli *boleadoras* sef tair pelen wedi eu gosod ar flaen tair cainc o raff, yr ysgafnaf yn un llaw i'r heliwr a'r ddwy drymaf yn y llaw arall yn cael eu chwyrlïo ganddo o gwmpas ei ben. Taflai'r rhaff hon yn ddeheuig iawn am draed ôl – fel arfer – y gwanaco. Dro arall fe'i taflai am wddf yr anifail gan obeithio baglu'r traed blaen yn y peli.

Ymffurfiai'r helwyr a welsai'r Bonwr Gweirydd yn ddwy res ac o bosibl fod yno wragedd yn eu plith gan eu bod hwythau, fel y dynion, yn rhai bywiog a gweithgar iawn. Nid wyf am fentro damcaniaethu beth oedd hyd y rhes ond safai pawb o fewn tafliad y peli boleadoras i'r naill a'r llall gan fynd rhagddynt i ffurfio dwy fraich ar ffurf y llythyren V, y

Fy mam ac un o'r brodorion yn bwydo gwanaco dof

pen culaf iddi yn weddol gaeedig a'r pen blaen yn llydan agored. Tasg y rhai ar y blaen fyddai ceisio dangos eu hunain i'r anifail a'i ddychryn nes peri iddo redeg i mewn i'r V. Yna deuai'r brodorion eraill i'r golwg. Mae'n fwy na thebyg mai'r llanciau a osodid ar y blaen am mai yno'r oedd y gwaith rhedeg a dychryn a rhwystro, ac mai'r dynion hŷn, profiadol, a daflai'r peli at yr anifeiliaid a hynny tua chanol a gwaelod y ffurf V. Dyna sut y llwyddent i wneud helwriaeth dda ac i ofalu am ddigon o gigfwyd.

Y cigfwyd oedd bron yr unig beth a fwytâi'r brodorion hyn. Wedi dyfodiad y dyn gwyn, wrth gwrs, fe ddaeth yn arferiad ganddynt i yfed *mate* – diod o ddail a yfir yn Ne America yn union fel yr yfir te yng Nghymru. Gwnâi hyn iawn am y diffyg llysiau – a thrwy hynny diffyg fitaminau – yr oedd ar y corff dynol eu hangen ond a oedd mor brin mewn cig. Bwytaent rannau o stumog a choluddion y gwanaco a diddorol yw nodi mai dyna'r rhan o'r anifail hwnnw sydd yn cynnwys y gyfran fwyaf o fitaminau. Y mae eu disgynyddion yn bwyta rhannau o'r coluddion hyd y dydd heddiw.

Cyneuid tân bob amser ar ôl yr helfa ac eisteddent o'i gwmpas yn cynhesu'n braf gan adrodd hynt a helynt y dydd. Byddai'n arferol gan y teulu gysgu gyda'i gilydd dan eu mentyll mewn pabell o grwyn, ac os byddai'n oer iawn closient at ei gilydd. Roedd y babell wedi ei gosod ar byst byrion ac yn rhyw lathen a hanner o hyd yn un pen ac ychydig dan lathen yn y pen arall. Defnyddient raffau bychain o groen i ddal gorchudd y babell yn ei le a chan amlaf mantell ceffyl neu groen gwanaco mawr fyddai hwnnw. Gosodid y babell â'i chefn i'r gwynt, wrth gwrs, ac ynddi gwnaent fath o glustogau mawr i orffwys a chysgu arnynt. Pan symudent yn y bore gosodid y gwely hwn wedyn yn ei grynswth ar gefn un o'r ceffylau ac mi fyddai'n bwn ar gefn y ceffylau a farchogai'r gwragedd, a hwythau ar ben y pwn a'r ceffylau yn fychain o dan y cwbl. Wedyn pacient y coed a gweddill y pethau, a symudent bron bob dydd gan deithio rhwng dŵr a dŵr.

Y merched a'r plant a'r hen bobl a fyddai'n gyfrifol am y pacio a'r mudo ac elent yn un rhes hir ar hyd y paith gan yrru'r anifeiliaid yn rhydd o'u blaenau – y cesig a'r ebolion a'r cwbl – gan ddilyn llwybrau arbennig. Gallai'r plant farchogaeth cyn gynted ag y cerddent bron gan gychwyn yn sgîl chwaer neu frawd hŷn ac wedyn ymhen ysbaid caent hen geffyl tawel a llonydd iddynt eu hunain. Ni welais i erioed daith o'r fath ond clywais hen bobl yn dweud yr hanes, darllenais amdanynt a gwelais luniau ohonynt.

Weithiau manteisiai'r dynion ar y rhimyn hir o wragedd a phlant i gylchynu'r anifeiliaid gwylltion a fyddai yn y cyffiniau a chaent hwythau felly eu hela a'u lladd. Y cigfwyd hwnnw wedyn a fyddai'r gynhaliaeth am y dydd. Yn llyfr Lewis Jones, *Y Wladfa Gymreig*, y mae hen fap o eiddo Llwyd ap Iwan yn dangos y llwybrau a gymerai'r brodorion i groesi'r wlad. Y mae cryn ôl traul ar fy nghopi i o'r llyfr hwnnw erbyn hyn a rhai dalennau wedi mynd ar goll. Ar un o'r dalennau coll hyn yr oedd un o'r mapiau cyntaf a wnaed o'r Wladfa ac ar fy ymweliad â Chymru yn 1983 y gwelais ef am y tro cyntaf. Y mae amryw o bethau ynddo sy'n hollol anghywir, er enghraifft, llwybr y trên, a gwely afon Fawr, a bwriad yn hytrach na ffaith ydoedd rhannu Kel-Kein yn Nyffryn y Merthyron fel petai yn ffermydd bach, fel y dengys y map. Dengys hefyd amryw o hen lwybrau'r Indiaid a adwaenid gan y Cymry fel *Hirlam Edwyn, Hirdaith Edwyn*, ac yn y blaen.

Treulient y rhan helaethaf o'u bywyd yn hela, wrth gwrs, ac nid oedd ganddynt lawer o amser i ddifyrrwch. Tra byddai'r dynion yn hela byddai'r merched nid yn unig yn pacio ac yn teithio ond hefyd yn nyddu a gwnïo mentyll o grwyn yn eu dulliau gwreiddiol eu hunain.

Gwisgai'r gwragedd a'r dynion rywbeth tebyg i bais fechan wedi ei gwneud o groen, a hwnnw wedi ei ystwytho'n dda. Drosto gwisgent yr hyn a alwent yn *kijango*. Mentyll o groen gwanaco bychan fyddai'r rhai mwyaf cyffredin. Yn y gwanwyn – tua mis Tachwedd – y genir y gwanaciaid a bydd hela brwd arnynt bryd hynny. Nid eu hymlid a wneir ond ceisio eu dal yn y cyfnod cynnar, dyweder rhyw dri diwrnod oed, pan fyddant yn weddol hawdd i'w dal. Wedi lladd y rhai bach byddent yn ymlid y rhai hŷn ac wedi cael helfa o'r rheiny elent yn eu holau i geisio blingo'r rhai bach a laddasant yn gynharach gan ddewis y rhai tewaf a'r gorau i fynd i'r gwersyll gan adael y gweddill ar y paith i'r anifeiliaid gwylltion.

Rhaid fyddai cymryd amser a gofal i drin y crwyn. Rhaid oedd gadael iddynt sychu cyn eu plygu neu tueddent i gydio yn ei gilydd ac os gadewid iddynt sychu gormod fe gracient, felly rhaid fyddai eu gadael yn y gwynt cyn mynd â hwy i'r merched i'w trin a'u hystwytho a'u torri fel y byddai rhan flaen un croen yn ffitio i goesau ôl un arall. Yna caent eu gwnïo ag edau neilltuol a dynnid o ewynnau anifail mawr neu estrys. Heddiw-ddydd y mae'r brodor, yn ystod y troeon prin yr â ati i'w pwytho, yn defnyddio edau blastig.

Y fantell orau o'r cwbl fyddai mantell o grwyn cywion estrys, ond roedd yn rhaid blingo degau onid cannoedd o estrysod bychain i gynhyrchu un fantell. Pe byddai'r brodorion yn cyflwyno mantell i rywun a oedd yn uchel iawn yn eu golwg, yr anrhydedd fwyaf iddo fuasai derbyn mantell o grwyn cywion estrys.

Byddai gan y Teweltsiaid feddwl y byd o'u plant ac anaml y dywedent yr un gair croes wrthynt. Yn ei lyfr *At Home with the Patagonians* cyfeiria Capten Musters at Orkeke, pennaeth di-blant a fabwysiadodd gi bychan o'r enw Ako a gâi'r un breintiau â phe byddai'n fab iddo. Yr oedd Ako felly, yn ôl ei hawliau a'i safle, yn meddu ar nifer o geffylau, a phan fyddai rhywun eisiau benthyca un ohonynt byddai'n rhaid iddo ofyn amdano yn ffurfiol i'r ci. Os byddai Ako'n caniatáu fe'i codid ar gefn un o'r ceffylau a theithiai'n hwylus felly. Pe byddai'r Pennaeth Orkeke wedi dod o hyd i blentyn amddifad, o bosibl y byddai wedi ei fagu, ond ymddengys fod y brodorion ar y pryd yn meddwl gormod o'u plant i feddwl ildio yr un i ofal eu pennaeth.

Nid oedd seremoni i ddewis pennaeth ac fe'i dewisid ar sail ei ddoethineb a grym ei bersonoliaeth yn hytrach na'i dras, a'i gyfrifoldeb fyddai trefnu gwaith y dydd ond eto yn hollol gyfartal i bob pwrpas yn ei waith a'i safle. Ar adegau o ryfel yn unig y gweithredai'r pennaeth fel math o frenin a phryd hynny byddai penaethiaid llai eu pwys yn ymfyddino oddi tano i'r ymgyrch.

Er bod amlwreica yn gyffredin ymysg y llwyth, y peth rhyfeddaf oedd mai un wraig yn unig oedd gan Orkeke a honno'n ddi-blant, ond digwyddai fod yn wraig ddarbodus, lân a dywedai Capten Musters iddo ef fod yn gyfforddus iawn gydag Orkeke a hithau. Yr oedd dau bennaeth i'r llwyth pan aeth ef atynt, a chan iddo ddewis cyd-fyw gyda hwy gan gyd-hela a gwisgo yr un fath â hwy, yr oedd yn ofynnol iddo rannu ei amser rhwng y Pennaeth Orkeke a'r Pennaeth Casimiro. Yr oedd Casimiro wedi bod ymhlith y dynion gwynion ac wedi mynd yn yfwr trwm ac yn gambliwr ac o'r herwydd yr oedd yn weddol dlawd ac yn ôl Musters yr oedd ei wraig, fel gweddill ei bethau, yn hyll ac annymunol.

Credai'r Teweltsiaid mewn dau dduw – y duw da a'r duw drwg. Nid oedd y duw da yn peri dim drwg i neb ac felly gallent anghofio amdano gan amlaf. Yr oedd y duw drwg – y *Gualichu* – yn wahanol, fodd bynnag. Iddo ef y priodolent bob anffawd megis afiechyd neu ddamwain a ddigwyddai iddynt ac yr oedd angen ei dawelu ag anrhegion. Credent ei fod yn llechu mewn twmpath mawr o ddrain a gadawent damaid o fwyd neu ddarn o ddefnydd lliwgar, neu unrhyw beth arall a oedd yn eu barn hwy yn dlws, ar y twmpath hwnnw i'w gadw rhag tarfu arnynt.

O dro i dro llwyddai'r *Gualichu* i dreiddio i gyrff a phersonoliaeth pobl, a hynny yn eu cred hwy a fyddai achos pob afiechyd. Bryd hynny ceid seremoni fawr lle y gelwid ar feddyg y llwyth. Dawnsiai a gwaeddai yntau i geisio darbwyllo'r ysbryd drwg i adael y claf ac weithiau gorchmynnai i bawb ymuno ag ef. Yn ystod arhosiad Capten Musters gyda'r Teweltsiaid daeth haint heibio iddynt a bu farw nifer o'r plant gyda'i gilydd. Mawr fu'r galar ar eu holau ac wedi iddi dywyllu gorchmynnodd y meddyg i'r dynion estyn eu harfau. Wedi iddo yntau danio ergyd o wn cafwyd ffug-ymrafael â'r *Gualichu* â chleddyfau, gwaywffyn a gynnau ac yn ystod y frwydr taflai'r merched dewynion o dân i'r awyr. Darfu'r seremoni mor ddisymwth ag y cychwynnodd a chaed tawelwch llethol am rai munudau cyn ailgynnau'r tannau.

Y perthnasau agosaf a fyddai'n claddu'r meirwon fel arfer a hynny yn y dirgel. Nid yngenid yr un gair am yr ymadawedig wedyn gan y credent y dylid anghofio'n llwyr amdanynt. Byddai eithriadau i hynny, er enghraifft, pan fyddai plentyn farw byddai'r teulu'n fawr eu trallod ar ei ôl, a phan fyddai pennaeth farw byddai galaru cyhoeddus dwys ar ei ôl yntau. Aberthid caseg a bwyteid ei chig ar adegau o'r fath a llosgid holl eiddo personol yr ymadawedig: ei holl geffylau, ei gŵn, ei arfau, ei gyfrwy a phopeth. Ers talwm, os byddai'n bennaeth pwysig iawn, lleddid hyd yn oed ei wragedd. Yr hen arferiad fyddai gosod y pennaeth ar ei eistedd mewn math o arch ond erbyn yr adeg y cyrhaeddodd y Cymry i Batagonia yr arferiad oedd ei lapio yng nghroen y gaseg a aberthwyd a'i gladdu ar ei eistedd yn wynebu'r dwyrain a chodi carnedd drosto.

Er mai mewn tai, fel ninnau, y mae eu disgynyddion yn

byw erbyn hyn – hyd yn ddiweddar iawn gosodent gigfwyd, poteli o ddŵr, a phob rhyw geriach yn arch yr ymadawedig a gwelais benteulu yn cael ei osod mewn arch fawr yn cynnwys y pethau hynny. Yr oeddwn yn gyfeillgar ag ef ac yn digwydd bod yn gymydog iddo a galwyd arnaf i ddod i'w weld pan oedd ar ei wely angau. Gwnaed yr arch i mewn yn y tŷ ar ben bwrdd cryf ond fe'i gwnaed mor fawr a gosodwyd cymaint o drugareddau ynddi fel y gorfu iddynt dynnu'r drws a thorri ymaith ran o'r mur i'w chael allan. Fe'i gosodwyd hi wedyn ar wagen ac aethpwyd â hi i fedd lle'r oedd y rhan fwyaf o aelodau'r teulu wedi eu claddu.

Perchid yr hynafgwyr yn fawr gan y Teweltsiaid tra byddent yn iach ond roedd ganddynt arferiad barbaraidd iawn i'n golwg ni, sef rhoi hen ŵr neu hen wraig a fyddai'n dioddef allan o'u poenau trwy eu mygu yn eu gwelyau. Gwyddai'r Cymry am ddigwyddiadau o'r fath, a gwelais gyfeiriad felly yn nyddiaduron John Daniel Evans at hen frodor o'r enw Wystl a oedd wedi darganfod caseg a ladratawyd o'r Dyffryn ym meddiant rhyw Chilead o'r enw Benjamin ym mynyddoedd yr Andes. Pan welodd hi fe'i cymerodd oddi ar y Chilead gan ddweud wrtho ei bod yn gywilydd iddo fynd â'r unig gaseg a oedd gan y Cymro i hela'i gig. Pan ddychwelodd Wystl a'i lwyth i gyffiniau'r Dyffryn aeth â'r gaseg yn ôl i'r Cymro. Cafodd dorth o fara am ei gymwynas ac addewid am un arall bob tro y byddai yn y cyffiniau wedyn. Cadwyd yr addewid honno'n ddi-ffael, ond y tro olaf y gwelwyd yr hen ŵr tua'r Dyffryn yr oedd wedi ei anafu'n ddrwg a phrin y medrai eistedd ar gefn ei geffyl o ganlyniad i ryw ffrwgwd rhyngddo ef a rhai o'r brodorion ieuengaf mewn meddwdod. Yr hanes diwethaf a glywyd amdano oedd iddo fynd o ddrwg i waeth ac iddo ef gael ei fygu i'w ollwng a'i ryddhau o'i boen.

Pan enid plentyn ceid gwledda a dawnsio a lleddid cesig ar gyfer yr achlysur. Byddai'r fam yn barod i deithio'r diwrnod hwnnw neu'n union wedyn a chludai'r plentyn mewn cawell gwiail ar gefn ei cheffyl. Fe'i henwid ar ôl man ei eni fel arfer ac yn ddiweddarach, os byddai iddo ryw hynodrwydd o ran pryd a gwedd, fe newidid ei enw. Rhoddid rhai enwau pur anweddus yn ôl ein safonau ni ond fe'u harddelid ganddynt hwy yn hollol naturiol.

Wedi dyfodiad y Sbaenwyr a'r Cymry dechreuwyd defnyddio geiriau Sbaeneg a Chymraeg fel enwau hefyd, a chlywais fy mam yn sôn lawer gwaith am hen frodor a'i galwai ei hun yn 'Berwin', a hynny o barch i'w thad hithau, Richard Jones Berwyn.

Enwent eu ceffylau yn ôl eu lliwiau fel arfer, a byddai gwahanol raddau o ddu'n boblogaidd. Gelwid yr un du du yn ddu. Gelwid un du arall yn dywyllwch – *Oskiro*. Gelwid un llwyd-ddu'n *Lobuno* – lliw'r blaidd (*lobo* yw blaidd). Gelwid un arall yn *Overo* – un broc, o'r gair *huevo*, sef wy, ond am geffyl melyn tebyg i liw wy iâr y defnyddiai'r Sbaenwyr y gair hwnnw, a dyna un gwahaniaeth rhwng enw Sbaeneg yn Sbaen ac enw Sbaeneg ym Mhatagonia. Gelwid ceffylau ag ychydig bach o wyn ar eu cynffonnau yn *Rabicano*, o'r gair *rabi/rabo* am gynffon, a dywedid *Overo Rabicano* am rai broc â gwyn ar eu cynffonnau. Pan geid ceffyl â chynffon a mwng gwyn fe'i gelwid yn *Ruano*. *Malacara* oedd enw ceffyl John Daniel Evans, a olygai geffyl â rhes lydan wen ar ei dalcen – 'un ag wyneb hyll' oedd ystyr hynny. *Picolanco* fyddai'r enw ar geffyl â smotyn gwyn ar ei drwyn. Gelwid rhai eraill yn *Gateado*, o'r enw *gato* am gath

Gyda'r ceffylau yn Primavera

wyllt, am fod iddynt glustiau duon a rhesi tywyll ar eu cefnau yn union yr un fath â'r anifail hwnnw.

Byddwn ninnau fel teulu yn rhoi enwau brodorol ar ein ceffylau gan eu bod yn rhai hawdd i'w hynganu a gwyddai'r brodorion felly pa geffyl a olygem. *Ñerci* yw enw fy ngheffyl i a dyna'r enw a ddefnyddiai'r Arawcan am gath.

Wedi i'r Cymry ymsefydlu yn y Wladfa daeth yn arferiad ganddynt i fagu rhai o blant y brodorion neu i ofalu amdanynt dros dro. Magodd fy nhaid sawl brodor bach a phan oedd fy mam yn fychan iawn cariai un ohonynt hi ar ei gefn i'r ysgol. Roedd y cwbl yn siarad Cymraeg ac ni wn am yr un brodor a fu ymhlith y Cymry nad oedd yn siarad Cymraeg. Mae'r Gymraeg yn hawdd iawn i'r brodorion gan fod y seiniau *ch*, *y* ac *u* yn gyffredin iddynt hwythau. Ond caiff y Sbaenwyr gryn drafferth i ynganu'r rhain yn gywir a châi'r brodorion a'r Cymry yr un anhawster i siarad Sbaeneg. Y brodor cyntaf a ddaw i'm meddwl yw'r cawr o ddyn a alwem yn 'Chileno Mawr'. Juan Pajale oedd ei enw iawn a siaradai Gymraeg glân gloyw. Hanner Indiad ydoedd a chredaf fod ei fam o genedl y Teweltsiaid. Pan ddaeth y lli mawr yn y flwyddyn 1899 penodwyd fy Ewythr Ithel Berwyn yn brwyad a'r 'Chileno Mawr' oedd ei gynorthwywr – rhyw fath o brif gwnstabl iddo – a bu'r ddau'n gyfeillion agos.

Y cof cyntaf sydd gennyf amdano yw pan oedd wedi bod yn hel cesig gwyllt gyda'm hewythr a rhai o'r cymdogion yn Primavera ac wedi dod â hwy at y tŷ. Tuag un ar ddeg oed oeddwn i bryd hynny, a chan fy mod yn digwydd sefyll mewn lle peryglus carlamodd ataf ar gefn ei geffyl gan ddweud 'Tyrd yma'. Yna cydiodd ag un llaw yn fy ngwar a'm codi fel pluen i'w sgîl ar gefn ei geffyl, ac yno y bûm am weddill y prynhawn yng nghysgod y 'Chileno Mawr'.

Bu farw ymhen ysbaid wedyn, ac ychydig cyn iddo farw gofynnodd am gael gweld y ceffyl hwnnw. Aeth rhywun i'w gyrchu iddo ac wrth iddo gael cymorth i godi i edrych arno bu farw'r hen ŵr. Nid oedd ganddo gartref gan mai crwydro a gweithio o le i le a wnâi, fel llawer o frodorion eraill, ond bu ganddo ddwy wraig ar wahanol adegau.

Nid oedd yn arferiad gan y brodorion i gael seremoni briodas ond cymerent wraig pan fynnent. Dywedodd ryw hen frodor wrthyf ryw dro, ac yntau newydd adael ei wraig, 'Rydw i wedi tynnu'r ffrwyn o'i phen hi ac wedi ei gollwng hi'n rhydd,' – cystal â dweud, 'Pan oeddwn i'n medru ei ffrwyno hi roeddwn i'n medru ei chadw hi, ond pan oedd hi'n cambihafio, doedd hi ddim yn gweithio dim rhagor, ac roedd yn rhaid tynnu'i ffrwyn o'i phen a gadael iddi fynd'!

Carffilen oedd ei enw ef a hen frodor iawn ydoedd hefyd. Rhai meddw iawn oedd ei feibion fodd bynnag. Ni fyddai'r hen ŵr eu tad hanner mor chwil â hwy a rhoddodd bopeth iddynt o fewn ei allu, ond wrth roi rhyddid iddynt fel y rhoddodd ryddid i'r wraig, gorfu iddo dalu'n ddrud. Roedd y brodorion yn awchus am y ddiod gadarn. Nid yfed tropyn a wnaent ond yfed hyd oni fyddent yn anymwybodol. Weithiau pan fyddent yn y cyflwr hwnnw byddai'r bobl a oedd yn byw yn y gogledd, yr ochr draw i Afon Ddu, yn manteisio ar y cyfle ac yn lladrata popeth oddi arnynt, ac yn y bore byddent yn deffro heb yr un cerpyn amdanynt. Ond pan ddigwyddai brodor feddwi yn y Wladfa fe ofalai'r Cymry amdano ac fe'i gosodid i gysgu mewn crwyn neu wely, ac yn ôl tystiolaeth y brodorion eu hunain byddent yn ddiolchgar dros ben am hynny.

Hanner y ffordd rhwng Trelew ac Esquel y mae lle o'r enw *Gin Box*. Pan ddaeth y Cymry y ffordd honno gyntaf cawsant hyd i hen focs gwag wedi bod yn llawn o *gin* ryw dro ac mae'n debygol fod rhywun wedi ei werthu i'r brodorion ac iddynt gael coblyn o sbri yno cyn taflu'r hen focs ar y paith a phan gafwyd hyd iddo fe enwyd y lle ar ei ôl. Erbyn heddiw, yr enw Sbaeneg a arddelir sef *Cajon de Ginebra*.

Ychydig iawn o ddisgynyddion y brodorion sydd yn hoffi bod yn brysur gan mai pobl hamddenol a thawel ydynt. Dyna'r prif wahaniaeth rhyngom ni a hwy. Wrth gwrs y mae yna deuluoedd llai gweithgar na'i gilydd o blith y Cymry a gollodd eu heiddo a'r cwbl oedd ganddynt ac na chymerent ddiddordeb mewn cadw nac eiddo na diwylliant na dim byd o'r fath, ond yn eu plith yr oedd teuluoedd eraill neilltuol a weithiodd yn galed i gasglu eiddo a chadw hen draddodiadau a gwerthoedd ac y mae'r disgynyddion hynny hyd y dydd heddiw yn dal yn brysur. Eithr ni fedraf i ddychmygu'r brodorion yn gofalu am ddim byd mwy na'r hyn sy'n dod o ddydd i ddydd. Pan fyddant wedi llwyddo i gelcio ychydig o arian yna arhosant gartref nes bydd y celc yn prinhau, yna dychwelant i chwilio am ragor o waith a chael hwb arall arni. Rhaid sylweddoli mai dwy neu dair cenhedlaeth yn unig sydd ers pan fu eu hynafiaid yn byw ar hela a bod y brodorion modern wedi gorfod troi oddi wrth eu ceffylau at beiriannau ac oddi wrth eu hofergoelion i fyd technoleg. Mae'r rhai a lwyddodd i addasu yn byw yn ddedwydd ac mae llawer ohonynt wedi troi at Gristnogaeth. Aeth rhai ohonynt i golegau i gael eu hyfforddi i fod yn athrawon ac y mae eraill ohonynt yn beirianwyr a chrefftwyr ardderchog, ond cyfyngu eu hunain i'r galwedigaethau hynny a wnânt a phrin y gwelir yr un bancwr na ffarmwr yn eu mysg, yn wir, ni wn am yr un ohonynt sydd yn berchen tir eang. O gofio fod y dyn gwyn wedi eu herlid ac wedi meddiannu eu tiroedd y mae hynny i'w ddisgwyl ond ar yr un pryd, pobl a rannai bopeth â'i gilydd oeddent ac iddynt hwy nid oedd y fath beth ag eiddo personol. Gwn hefyd, o brofiad, eu bod yn ein hystyried ni, ddisgynyddion y Cymry, yn rhai rhyfedd iawn yn llafurio'r tir. Y mae rhai eraill yn eu plith a fethodd ag ymaddasu i'r ugeinfed ganrif ac sydd i'w gweld gan amlaf yn byw yn druenus ar gyrion y trefi yn eu cytiau bach digysur.

At Home with the Patagonians, George Chatworth Musters (John Murray, Llundain, 1897; Greenwood Press Publishers, Efrog Newydd, 1969).

John Daniel Evans

Pan gyrhaeddodd yr Hen Wladfawyr i'r Wladfa nid oedd ganddynt ddim syniad o gwbl am ansawdd y tir gan mai un o'r pethau cyntaf a wnaethant oedd hau, a hynny'n gwbl ofer am dri thymor. Bu bron iddynt dorri eu calonnau ac ymadael â'r wlad ond, gan nad oedd llong i'w dwyn oddi yno, cawsant ragor o fwyd gan y llywodraeth i'w galluogi i aros yno am dymor arall.

Y canlyniad fu rhoi cynnig arall ar hau. Un Sul, yn ôl yr hanes, aeth Aaron Jenkins a'i wraig Rachel i edrych ar y cae a heuwyd ganddynt ac, yn wir, yr oedd y gwenith wedi egino ond ei fod yn crino yn y sychder. Yna sylwodd Rachel fod dŵr o'r afon yn uwch na'r tir a heuwyd ganddynt ac awgrymodd i'w gŵr y gallai agor ffos ac arwain y dŵr o'r afon a mwydo'r cae hwnnw. Ac felly y bu. Glasodd y cae a chredaf mai unwaith yn unig y'i dyfrhawyd wedyn y tymor hwnnw. Cafwyd cnwd ardderchog a dyna gychwyn cyfnod newydd yn hanes y Wladfa, cyfnod o godi daear las ar wyneb anial dir.

Wedi hynny, gweithiwyd yn galed i ddyfrhau'r tir. Y broblem fawr oedd bod Afon Camwy yn gostwng yn ystod yr haf a bod angen argaeau i godi lefel y dŵr fel y gallai orlifo ar hyd y ffosydd. Ar y dechrau gosodid argae ar yr afon ac agor ffosydd yn weddol agos ato i arwain y dŵr i'r caeau ond gan nad oedd dim gwaelod, neu ddim caledrwydd, i wely'r afon, turiai'r dŵr dan yr argae a'i ddymchwel. O ganlyniad, sychai'r ffosydd. Ymhen y rhawg darganfuwyd y gellid cronni'r dŵr yn y creigiau ym mhen y dyffryn ac y gellid codi'r dŵr i fyny i geg y ffosydd unrhyw adeg o'r flwyddyn.

Cyn hir gwnaeth y Wladfa ei henw fel enillydd gwobrau yn Ffrainc a Gogledd America am dyfu grawn. Yn 1889 enillodd Benjamin Brunt fedal aur yn Ffrainc am haidd a'r flwyddyn ddilynol enillwyd drachefn yn Chicago allan o 38 o wledydd.[1] Yn raddol dechreuwyd hau *Indian Corn* a phlannu tatws a llysiau, yn letys, yn gabaits ac yn bwmcin, a ffrwythau – afalau yn arbennig, ac ar ddechrau'r ugeinfed ganrif daeth y gwair alffalffa neu *lucerne* yn brif gynnyrch y ffermydd gan eu galluogi i fagu anifeiliaid.

Pan oeddwn i'n ifanc yr oedd nifer fawr o'r Hen Wladfawyr wedi marw ac ychydig iawn ohonynt a adwaenwn i. Dylwn egluro efallai mai'r fintai gyntaf a hwyliodd ar y llong Mimosa a elwir yn Hen Wladfawyr. Y rhai a ymsefydlodd yn ddiweddarach a alwn ni'n Wladfawyr. Y mae'r rhai sy'n olrhain eu teuluoedd yn ôl i'r Hen Wladfawyr yn hyddysg iawn iawn yn eu hachau ond er cymaint fy niddordeb innau yn y maes hwnnw, rhaid cyfaddef mai'n ddiweddar iawn y sylweddolais i fod bron pob teulu sy'n ddisgynyddion o'r Hen Wladfawyr yn perthyn i Rhys Williams, un o Batriarchiaid y Wladfa. Fy Modryb Alwen oedd achyddwraig ein teulu ni a gallai nid yn unig olrhain achau ei theulu hi ei hun a theuluoedd y Dyffryn yn fanwl ond hefyd achau teuluoedd brenhinol Ewrop a Rwsia a llawer un arall.

Yr unig un o'r Hen Wladfawyr sy'n fyw iawn ar fy nghof, ar wahân i'm Taid a Nain Berwyn, yw John Daniel Evans. Cyrhaeddodd ef Borth Madryn ar y *Mimosa* yn blentyn teirblwydd oed gan ddod i'r lan ar fraich ei dad. Cafodd ei fagu yng nghyfnod caletaf y Wladfa a hynny ymhlith llawer o blant y brodorion. O ganlyniad dysgodd eu ffordd hwy o edrych ar fywyd yn ogystal â'u ffordd hwy o farchogaeth,

Un o arwyr Fred 'John Ifans Baciano' (John Daniel Evans)

*Y dibyn yn Nyffryn y Merthyron ble neidiodd Malacara
gan achub bywyd ei feistr, John Daniel Evans*

hela a dilyn trywydd anifeiliaid. Galluogodd hyn ef i wynebu a goresgyn llawer o anturiaethau rhyfeddol yn ystod ei fywyd.

Yr oedd John Daniel Evans yn gymeriad hynod a dewr iawn. Serch hynny, dyn bychan, tawel, diymffrost ydoedd. Ni chlywid ei lais mewn cwmni a phan ofynnid iddo am ei farn, prin fyddai ei eiriau wedyn. Ond yr oedd y ddawn o arwain dynion ganddo. Ym 1882, ac yntau'n ugain oed, aeth gyda phedwar gŵr ifanc ar daith hir i ddeheudir y Wladfa. Yn ddiweddarach yr un flwyddyn aeth gyda thri gŵr i chwilio am aur tuag Afon Fach. Yn Nhachwedd 1883 arweiniodd bedwar llanc i gyfeiriad yr Andes a'r tro hwn eto i chwilio am aur, ond heb wybod dim am yr anawsterau a'u hwynebai ar y ffordd megis sut i dramwyo'r mynyddoedd a rhydio'r afonydd, heb sôn am y peryglon o ymosodiadau gan yr Arawcaniaid a oedd ar y pryd yn cael eu herlid o'u tiroedd eu hunain gan y dyn gwyn. Yn ystod y daith honno gorfu iddynt ddianc rhag y brodorion hynny a gwrhydri neilltuol oedd medru eu twyllo trwy guddio eu holion mewn gwahanol ffyrdd. Un ohonynt oedd gosod y deunaw ceffyl a oedd ganddynt – yn cynnwys y rhai a farchogent – i gerdded gwely'r afon a'i dilyn am oddeutu ugain neu bum milltir ar hugain heb adael olion yn unman. Collodd y brodorion rai dyddiau yn chwilio amdanynt a rhoddodd hynny gyfle i John Daniel Evans a'i griw gyrraedd i lawr i gyffiniau Dôl y Plu a Hirlam Edwyn. Ond un bore fe'u daliwyd ac yn y gyflafan lladdwyd y tri llanc, ond yn hynod gyfrwys ac eofn llwyddodd John Daniel Evans i ddianc o'u gafael trwy fod yn ddigon rhyfygus i lamu dros ddibyn a disgyn i'r gwaelod ar gefn ei geffyl Malacara a chroesi can milltir o ddiffeithwch i chwilio am gymorth. Mawrth 4, 1884

Yn 1885 teithiodd criw o ddynion, dan arweiniad John Daniel Evans, i'r gorllewin i chwilio am diroedd newydd. Mewn seremoni i ddathlu canmlwyddiant Cwm Hyfryd ym mis Tachwedd 1985, derbyniodd Fred Green anrhydedd am ei gyfraniad i fywyd y cwm.

oedd y dyddiad arbennig hwnnw a gelwid y fan yn Kil-Kein.[2]

Y flwyddyn ddilynol trefnwyd taith i archwilio tiroedd y gorllewin. Y tro hwn yr oedd y fintai yn naw ar hugain ac yn cynnwys y Rhaglaw Fontana. *Rifleros* oedd yr enw a roddodd y Rhaglaw i'r fintai honno ac yn arwain y cwbl yr oedd John Daniel Evans. Ef a gafodd y fraint o fod yn *Baqueano*, sef arbenigwr ar groesi'r paith, darganfod dŵr a dilyn olion ac yn meddu hefyd ar y gallu i arwain. Yr oedd ugain o'r fintai yn Gymry ac yn ei lyfr a gyhoeddwyd yn ddiweddarach mynega'r Cyrnol Fontana y syndod a gafodd wrth ddarganfod eu bod cystal saethwyr a'u bod yn ymdoddi cystal i fywyd y *gauchos* ar y paith. Disgrifia fel yr oedd ambell un mewn côt laes gynffon fain a het fach galed ar ei ben yn gwisgo'r pelenni am ei ganol fel y gwnâi'r

47

gauchos ac yn medru eu taflu i ddal yr anifeiliaid gwylltion boed estrys, wanaco neu unrhyw beth arall, i sicrhau helfa feunyddiol i'r fintai. Rhyfeddai hefyd atynt yn dewis aros yn eu hunfan ar y Suliau i ganu clod i Dduw a chadw eu diwylliant. Ni chafodd erioed gystal cyd-deithwyr meddai.

Cyn hir aethpwyd heibio i'r fan y lladdwyd tri chyfaill John Daniel Evans, a elwid erbyn hynny'n Ddyffryn y Merthyron. Codwyd carnedd o gerrig ar eu bedd a chafwyd gwasanaeth byr yno. Oddi yno aethpwyd ymlaen i ddarganfod dyffryn eang mewn lifrai glas ysblennydd yn ymagor o'u blaenau a mynyddoedd anferthol â phennau gwynion yn ei warchod. Mae'n debygol fod y fintai'n rhy gegrwth i ynganu'r un gair ond yn ôl yr hanes, meddai Richard Jones, Glyn-du (ewythr i John Daniel Evans), 'O! dyma gwm hyfryd,' a dyna'r enw a roddwyd ar y dyffryn.

Galwyd y mynydd uchaf yn Orsedd y Cwmwl a rhai o'r gweddill yn Fynydd Llwyd, Mynydd Edwyn a Chraig Goch. Aethpwyd i'r de wedyn heibio i lynnoedd mawrion a enwyd yn Llyn Fontana a Llyn Calowapi. Erbyn iddynt gyrraedd Dyffryn Camwy yr oeddent wedi treulio tri mis a hanner oddi cartref.

Yn 1888 penderfynwyd anfon mintai arall i fesur rhai o'r lleoedd a ddarganfuwyd gyda'r bwriad o gychwyn sefydliad newydd yn un ohonynt. Yr oedd y Rhaglaw Fontana yn eu mysg a John Daniel Evans oedd yr arweinydd unwaith yn rhagor, ond yn ei ddyddiadur cofnoda John Daniel Evans y tro gwael a wnaeth Cyrnol Fontana ag ef:

Chwefror, dydd Mawrth y pumed 1888
Dechrau o ddifrif ar fesur Cwm Hyfryd i'r diben o wneuthur map ohono wedi i ni fyned yn ein holau i'r

Wladfa. Aeth Fontana a'i griw yn eu blaenau i'r pen
dwyreiniol o du'r Cwm i'n haros yno, meddai ef. Ond, er
mawr siomedigaeth, pan gyraeddasom y fan a'r lle y
disgwyliem gael Fontana, nid oedd yno neb i'w gael ond
nodyn yn ein hysbysu i ganlyn ei drac ef. Aeth â holl glud
Llwyd ap Iwan a'i geffylau ac eithrio'r ceffyl yr oedd yn ei
farchogaeth ar y pryd a rhai o geffylau Tomos Griffiths
hefyd a bu rhaid gadael y mesur ar ddwy linell yn unig
. . . a phan yma yn mesur cawsom draciau Fontana a'i
griw yn myned allan am gyfeiriad Sunica ac nid trwy
Fwlch Esquel fel y dywedai yn y nodyn a adawodd ar ôl
i ni.

Yn dilyn y daith honno penderfynwyd mai yng Nghwm
Hyfryd y dylai'r sefydliad fod.

Ym mis Medi y flwyddyn honno, 1888, teithiodd 39 o
ddynion y pedwar can milltir o Ddyffryn Camwy i
ymsefydlu yng Nghwm Hyfryd. Y llywydd oedd John
Murray Thomas a'r arweinydd, unwaith yn rhagor, oedd
John Daniel Evans, yn ŵr ifanc tair ar hugain oed. Dyma
ddyfyniadau pellach o ddyddiaduron John Daniel Evans am
y daith arbennig hon.

Ffurfiwyd llys achwyn i benderfynu a gwastadau
cwerylon a allasai godi ar y ffordd. Y rheolau hefyd fel a
ganlyn:
Fod y wagen flaenaf i ddilyn cyfarwyddyd yr
arweinydd ac i aros i gau ffos neu dorri twmpathau drain
pan fyddai angen ar archiad yr arweinydd a bod pob
wagen a throl ddeuai ar ei hôl yn dilyn yn llythrennol yr
un trac i'r diben o ffurfio llwybr, a bod yr oll i sefyll lle

safai'r wagen flaenaf canys yr oedd yn ddealledig lle y pasiai'r flaenaf fod y ffordd yn addas i bawb basio hydddi. Y wagen flaenaf heddiw i fod yn olaf yfory ac felly caiff pawb ran o'r da a'r drwg ar y ffordd.

Rhif y fintai oedd 39, oll yn Gymry glân gloyw oddigerth saith. Yr oedd ganddynt at eu gwasanaeth tua 160 o geffylau a chŵn lawer iawn at ddal helwriaeth ac arfau tân lawer. Ar deithiau o'r fath yr adeg honno pan wedi gadael y Dyffryn, hynny ydyw y sefydliad ar lannau'r Gamwy, yr oedd yn rhaid byw ar gig anifeiliaid gwylltion – y gwanaco, yr estrys, yr ysgyfarnog a'r llew os byddai angen am y rheswm nad oedd anifeiliaid dof i'w cael oddieithr lladd caseg neu ful, ac yn wir, y mae cig mul yn well na chig dim anifail gwyllt ellir ei ddal.

Teithiasom yn bur hwylus wedi gadael Dyffryn Triphlyg* a chefnu ar y glaw mawr gawsom yno ac aros diwrnod neu ddau i'r tywydd wella canys bu'n rhaid i'r Parchedig David Lloyd Jones ddod i fyny atom a gwneuthur llwyrymwrthodwyr ohonom. Teithiasom yr ochr ddeheuol i'r Afon Gamwy ar hyd yr un trac ag y daethom i lawr yn y flwyddyn 1884 i'r amcan o beidio croesi yn Nôl y Plu er mwyn osgoi Hirdaith Edwyn, yr hon sydd daith sych oddeutu 70 milltir heb ddwfr. Cyraeddasom yr Iamacan, sef yr Afon Fach a gwneuthur cwch o'r ddwy gist wagen a thynnwyd hi yn ôl a blaen un ffordd yn llawn a'r ffordd arall yn wag . . .

Daw dawn arbennig John Daniel Evans i arwain i'r amlwg yn y dyddiaduron. Yn y darn canlynol cawn fod y fintai newydd adael y Clafdy:

Bore trannoeth cychwynasom yn ein blaenau yn hynod ddidrafferth hyd nes dyfod at lyn glaw ar y paith pa un a alwasom yn Llyn Anufudd-dod. Torrodd y Bonwr Edward O. Jones ddwy reol y diwrnod hwnnw: un trwy beidio ag aros ar gais yr arweinydd i gau ffos ddofn a beryglai dorri olwyn neu lorp wagen. Yn ail, gollyngai ei geffylau i'r dŵr glân yr oeddys wedi ei neilltuo i'r dynion gan fod yn y llyn ddigon o ddŵr i'r ceffylau a phan alwyd y llys achwyn ar ôl swper a myned i nôl yr hogyn drwg yr oedd o yn ei wely ers meityn – mae yn debyg iddo fyned heb swpera gan ei fod yn ofni ac yn teimlo'n euog o gosb – mwy fe allai nag ydoedd y llys achwyn wedi ei feddwl.

A dyma a ddigwyddodd yn y lle a enwyd yn ddiweddarach yn Black Eye, sef un o'r lleoedd cul ar y daith. Gadawodd John Daniel Evans y fintai yng ngofal John Murray Thomas tra byddai ef yn chwilio am le arall i groesi'r afon:

Dangosais yn fanwl y ffordd i arwain y wagenni ac yn enwedig y ffos fawr oedd yn arwain o'r paith i'r afon y tu uchaf i'r lle cul gan mai ar hyd honno y buasai'n rhaid i'r wagenni ddod i lawr at yr afon. I fyny at y creigiau cydredai'r ffos fawr hon â chraig uchel a thua dau can llath yn is i lawr na'r fan y dylasai Mr Thomas groesi'r ffos elai'r ffos yn erbyn y graig fel nas gallesid myned heibio, a llawer iawn o dwmpathau coed cochion yn tyfu yn yr Angle. Mae yn debyg fod Mr Thomas yn dyfod dan smocio sigarennau ac wedi pasio'r fan y dylasai groesi'r afon orllewinol. Yn sydyn cafodd ei hun a'r wagen flaenaf cydrhwng y graig a'r lleill oll yn dilyn yn agos gan ei bod yn tynnu at y nos a brys ar bawb i gyrraedd y gwersyll.

Aeth yn sefyll hollol yn awr fel nad oedd posib myned yn ôl na blaen. Aed ati i dorri'r coed cochion i gael lle i droi yn ôl a bu yn rhaid cydio yn y ddwy wagen flaenaf a'u codi yn llythrennol oddi ar y ddaear i'w troi yn eu holau, a cydrhwng popeth yr oedd wedi mynd yn nos ymhell cyn iddynt ddod allan o'r hafn.

Cafodd William J. Hughes y blaen gyda'i gerbyd dwy olwyn yn gyrru i lawr i'r hafn ac yn sydyn dyma ef i'r hesg mawr a charreg anferth yn yr hesg nes peri lluchiad heb ei fath i'r cerbyd a'i olwynion eto yn yr awyr a'r llorpiau yn ysgyrion mân ac i'r gyriedydd lygad ddu. Yr oedd ganddynt eto oddeutu dwy filltir i ddyfod i fyny i'r fan lle yr oeddem wedi bwriadu i'r orymdaith aros, lle yr arhosom gyda thân mawr yn disgwyl er yn gynnar yn y nos a thua 1.30 o'r gloch y bore dyma W. J. Hughes yn cyrraedd y gwersyll ar gefn ei geffyl-cerbyd a chadach mawr am ei lygad, wedi gadael y cerbyd ar ôl yn y fan lle torrodd ef ac yn dweud y drefn o'r fath orau am bawb a phob peth ond ei hunan a'i fod am adael yr hen gerbyd yn y fan lle'r oedd am byth o'i ran ef ac elai ef â'i glud ar geffylau am y gweddill o'r ffordd. Tua hanner awr wedyn cyrhaeddodd pawb y gwersyll a phob un â'i stori am y cyntaf gan dywallt eu melltithion am ben y Bonwr J. M. Thomas druan, yn gylch o gwmpas y tân heb feddwl am fati na swper.

Codais i fyny i amddiffyn y Br Thomas gan ddweud mai nid yn fwriadol y gwnaeth y drafferth honno iddynt canys yr oeddent trwy'r dydd a'r bore tan hanner nos heb damaid na llymaid o ddim. Dywedodd y Br Thomas wrthynt yn glir:

'Pe baech am dragwyddoldeb yn cyrraedd yr Andes,

nid af o'ch blaen eto. Cewch aros yn y gwersyll nes daw John yn ei ôl.'

Bodlonodd pawb i'r rheol honno. Aed ati o ddifri i wneud swper er lleddfu tipyn ar yr anifail yr hwn oedd yn ei gythlwng trwy'r dydd. Yr oedd y ffordd ynddi ei hun yn dreth fawr ar amynedd a chaniatau peidio â gwneuthur yr un camgymeriad. Cafodd y lle, neu yn hytrach, enillodd y fangre iddi ei hun yr enw y Llygad Ddu neu Black Eye.

Cafodd pob aelod o'r fintai honno lêg o dir (wyth milltir sgwâr mwy neu lai) yng Nghwm Hyfryd gan y llywodraeth a manteisiodd John Daniel Evans ar y cynnig gan iddo ymgartrefu yng Nghwm Hyfryd yn fuan wedyn, ond gwn iddo arwain pedwar teulu ac ychydig o wŷr dibriod yn eu mysg o'r Dyffryn ar Awst 27ain, 1891 a chyrraedd pen y daith ar Dachwedd 21ain y flwyddyn honno. Mynych y clywais Maggie Freeman de Jones o Drevelin yn adrodd hanes y daith honno. Fe'i ganed hi yn 1878 a chyrhaeddodd yr oedran teg o 102. Yr oedd hi a'i rhieni a'u deg plentyn yn un o'r pedwar teulu a fentrodd ar y daith honno ac erbyn iddynt gyrraedd Cwm Hyfryd bron i dri mis yn ddiweddarach yr oedd eu hunfed plentyn ar ddeg wedi ei eni. Rhwng pawb yr oedd pedair wagen, trol ychen, cant o wartheg, ceffylau a chesig, ceffylau pwn (y bechgyn dibriod a ddeuai â'r rheini), hefyd moch a ieir, y rhai a gludid mewn bocsys yng nghrog y tu allan i'r wagenni ac a ollyngid yn rhydd yn y gwersyllfeydd. Yn ystod y daith trodd y drol ychen a thorrodd yr echel. Llwyddwyd i'w thrwsio ond pan dorrodd echel un o'r wagenni cuddiwyd y llwyth mewn ogof yn Nyffryn yr Allorau gan nad oedd modd trwsio honno a phan ddychwelodd ei thad i nôl y llwyth ymhen rhai misoedd wedyn nid oedd cymaint â sgync wedi bod yn crafu'r bwyd.

Yng Nghwm Hyfryd daeth John Daniel Evans yn ŵr blaenllaw gyda gwelediad clir i'r dyfodol, a thrwy ei fawr ofal ef y cyrhaeddodd y canlynol i'r Cwm: melin falu blodiau (a roddodd fod i Drevelin), Cwmni'r Felin Flawd, rhod neu dyrbein, deinamo cynhyrchu trydan, lampau trydan, mathau newydd o goed a phlanhigion, cerbyd modur a'r teleffon. Ef hefyd a gychwynnodd yr ysbyty yn Nhrevelin.

Bûm yn sgwrsio ag ef lawer gwaith yn Nhrevelin. Yr adeg honno ni fentrwn ei holi ryw lawer er cymaint fy edmygedd ohono ac atebion byrion a gawn i bob cwestiwn pa un bynnag, eithr 'nid wrth ei big y mae prynu cyffylog'. Bu farw yn Nhrevelin yn 1943 ac yntau dros ei wyth deg oed.

*Santa Cruz

---

[1] R. Bryn Williams, *Y Wladfa*, t. 167.
[2] R. Bryn Williams, *Y Wladfa*, t. 210-216.

Fy Rhieni

Ganed fy mam, Gwenonwy Berwyn, ym Mherllan Helyg ger Trerawson ym 1890, yn ferch i Richard Jones Berwyn ac Elizabeth Pritchard. Hi ydoedd deuddegfed plentyn R. J. Berwyn a phedwerydd plentyn ar ddeg Elizabeth Pritchard. Ail wr i'm nain ydoedd R. J. Berwyn, fel yr eglurwyd, a chawsai ddau blentyn o'i gŵr cyntaf, sef Arthur a Gwladys Dimol. Enwyd y tri phlentyn ar ddeg a gafodd hi ac R. J. Berwyn yn nhrefn yr wyddor, gan ddechrau â'r llafariaid fel hyn:

Gwenonwy Berwyn, mam Fred (Rhagfyr 1908)

Alwen, Einion, Ithel, Owain, Urien, Wyn, Ynfer, Bronwen, Ceinwen, Dilys, Ffest, Gwenonwy a Helen.

Fel plant eraill y Wladfa dysgodd fy mam farchogaeth pan oedd hi'n ddim o beth a phan oedd yn fechan iawn fe'i rhoddwyd ei hun ar gefn un o'r ceffylau. Dihangodd y ceffyl a hithau ar ei gefn ac fe'i cofiai ei hun yn gafael yn dynn yn y croen a oedd ar ei gyfrwy a'i brodyr yn carlamu ar ei ôl i geisio ei ddal. Llwyddasant i'w droi i gyfeiriad llyn ac yno y'i daliasant ac yntau erbyn hyn at ei fol yn y dŵr a hithau'n dal ar ei gefn. Roedd hi wedi tynnu cymaint ar un o'r awenau nes peri i'r enfa (*bit*) fynd yn groes i geg y ceffyl a'i niweidio, a phan lwyddwyd i'w ddal roedd gwaed yn diferu o'i geg.

Tipyn o fenter oedd gadael merch mor ifanc ar gefn ceffyl ond digwyddai camgymeriadau o'r fath o bryd i'w gilydd. Erbyn hyn y mae fy wyrion innau'n marchogaeth eu hunain ers pan maent yn bedair oed a thrwy drugaredd ni chawsant yr un anghaffael hyd yma ond byddwn yn ofalus dros ben wrth ddewis ceffylau iddynt.

Un o Lundain oedd fy nhad, John Charles Green, ond mae'n debygol mai o gyfeiriad Caer neu Glwyd yr hanai ei dad ef, Frederick Green, ac roedd gennym berthnasau yng Nghaer ar un adeg. Boddi yn Afon Dyfrdwy fu tynged fy nhaid. Mae hanes fy nhad yn ymfudo i Batagonia yn ddiddorol iawn. Yn ôl yr hanes yr oedd perthynas inni yn byw yn y Wladfa eisoes. Saesnes ydoedd a gwraig i'r Parchedig David Lloyd Jones. Penderfynwyd anfon hanner brawd fy nhad, a oedd yn hŷn nag ef, at y perthnasau hyn yn y Wladfa, ond ryw bythefnos cyn i'r llong hwylio diflannodd y brawd. Wrth weld ei fam mor benisel ynghylch y pris a dalasai am y tocyn a'r holl drefniadau a wnaethpwyd, penderfynodd un arall o'r meibion, sef fy nhad, fynd yno yn ei le. Tair ar ddeg oed ydoedd ar y pryd a theithiodd ar un o'r llongau stêm cyntaf i gyrraedd y Wladfa a hynny oddeutu 1887.

Pan gyrhaeddwyd Porth Madryn nid oedd dim amgenach na cheffyl esgyrnog yn disgwyl amdano a rhywun eisoes yn ei farchogaeth ac yn sgîl y person hwnnw y gorfu iddo yntau deithio'r deng milltir ar hugain i Drerawson. I fachgen nad oedd erioed wedi arfer marchogaeth roedd hi'n daith bur flinedig ac erbyn iddo gyrraedd pen y daith yr oedd mewn cyflwr difrifol. Yr oedd y bywyd a'i hwynebai wedi hynny hefyd ymhell o fod yn esmwyth. Roedd gan y Parchedig a Mrs David Lloyd Jones ffarm. Y wraig a ofalai

Fred yn fachgen bach

Fred gyda'i fam,
Gwenonwy Berwyn

Estancia la Primavera tua 1940

am y ffarm ac un braidd yn llawdrwm ydoedd ar y gweithwyr yn ôl yr hanes. I'm tad y rhoddwyd gofal eu diadell fechan o ddefaid ac o dipyn i beth dechreuodd yntau anfon y ddiadell honno i'r paith. Canfu fod y mannau hynny o'r paith lle y ceid dŵr yn dir ffafriol i gadw defaid a bu felly yn gofalu am y ddiadell hyd nes yr oedd yn un ar hugain oed. Erbyn hynny aethai'r ddiadell fechan yn ddiadell niferus o dros ddwy fil o ddefaid; cafodd yntau ei gyfran ohoni – ei hanner rwy'n credu – a phenderfynodd fynd i weithio ar ei liwt ei hun.

Cyn hir llwyddodd i gael y darn tir a elwir erbyn hyn yn *Estancia la Primavera*, yr hyn o'i gyfieithu yw Ffarm Cwm y Gwanwyn. Ni wn paham y dewisodd ef yr enw hwnnw ond dyna yw'r enw heddiw-ddydd ac erbyn hyn, fy mab ieuengaf, Erik, sy'n gofalu am y lle. Y peth cyntaf a wnaeth fy nhad oedd codi tŷ bychan yno, a hynny yn y flwyddyn 1899, a phrynu wagenni i gludo gwlân a chrwyn i'r farchnad. Yn y flwyddyn 1912 priododd Gwenonwy, merch Richard Jones Berwyn a'u mis mêl hwy fu taith i'r paith mewn wagenni, hithau yn gyrru wagen fechan (wagonét) ac yntau gyda chymorth gweision yn gyrru dwy wagen fawr. Deallaf i'r daith honno o ryw bedwar diwrnod ar ddeg fod yn bur ddidramgwydd. Wedi i mi gyrraedd i'r byd, a phan nad oeddwn ond ychydig fisoedd oed, trefnwyd taith arall o dri chan milltir, a'r tro hwn i'r Andes.

Y trefniant oedd mai fy mam a oedd i arwain y daith yn y wagen fach a 'nhad i'w dilyn yn y wagen fawr a'i bod hithau i aros yn y lle a'r lle i baratoi'r gwersyll. Roedd hi'n saethwraig ardderchog ac fel rheol byddai wedi lladd petrisen neu hwyaden neu estrys neu rywbeth o'r fath ac wedi ei baratoi erbyn i 'nhad gyrraedd. Gwyddai yntau am bob twll a chornel ar y ffordd ac ym mhle'n union i gael dŵr da a gwair i'r ceffylau, a rhoddai gyfarwyddiadau manwl iddi fel yr elent rhagddynt.

Un bore, wrth baratoi i deithio fel hyn, mae'n debygol fod fy mam wedi fy lapio yn fy ngwely yn y wagen ond am ryw reswm neu'i gilydd dychrynodd y tri cheffyl a'i tynnai a dechrau rhedeg. Llwyddodd hithau i'w cadw ar y llwybr ond methodd yn lân â'u cael i aros. Pan welodd fy nhad beth a ddigwyddasai cymerodd un o'r ceffylau eraill a charlamu ar ôl y wagen. Diffygiai'r ceffylau ar godiad tir ac arafu ond cyn gynted ag y caent eu hunain ar oriwaered cyflyment drachefn, a chredaf fod yno un ceffyl go wyllt yn arwain y ddau arall. Yn yr argyfwng hwnnw sylweddolodd fy mam fod y perygl yn dwysáu a phan ddaethant at y codiad tir nesaf a'r ceffylau'n arafu ychydig, cipiodd fantell, ei thaflu amdanaf a'm gollwng yn swp i'r ddaear dros du ôl y wagen fel fy mod yn disgyn dan rowlio fel pelen eira. Neidiodd hithau ar fy ôl, ac yn y sefyllfa honno y daeth fy nhad o hyd iddi. Wedi iddo sicrhau ein bod yn ddianaf aeth rhagddo i ddal y ceffylau a'u tywys yn ôl.

Dywedir mai fy nhad oedd un o'r ychydig Saeson a allai siarad Cymraeg fel Cymro ond hoffwn feddwl fod ganddo wreiddiau Cymreig er na allaf brofi hynny. Dysgodd fy mam Saesneg hefyd trwy ddarllen Beibl a oedd â hanner Saesneg ar bob tudalen iddo.

Prynodd fy nhad ffarm arall yn Nrofa Dulog, Dyffryn Camwy, lle y bwriadai wneud cartref inni, a'i fwriad, wedi cael y tamaid paith a'r ffarm honno i drefn, oedd dod â Mam a minnau yn ôl i'r Hen Wlad. Nid felly y bu, fodd bynnag. Wedi cyrraedd yr Andes gadawodd fy mam a minnau yng ngofal William Lloyd Jones Glyn, brawd ieuengaf Taid

Berwyn, tra elai yntau ar daith o dri chan milltir i Ddyffryn Camwy. Yr oedd twymyn yr ymysgaroedd (*typhoid*) yn y Dyffryn ar y pryd ac ar ei ffordd yn ei ôl trawyd fy nhad â'r dwymyn honno. Nid oedd meddyg i'w gael a cheisiwyd gostwng ei wres trwy roi dŵr oer ar ei dalcen, ond canlyniad hynny oedd i'r dwymyn droi'n niwmonia. Bu farw'r union ddiwrnod roeddwn i'n saith mis oed a'm mam ar y pryd yn ddim ond dwy ar hugain.

Ymhen y rhawg cododd fy mam dŷ ar y tir yn Nyffryn Camwy a'i alw'n Greenland, a rhoi'r *estancia* ar y paith yng ngofal hwsmon a chael cymorth Rhun Berry Rhys ar y ffarm yn y Drofa Dulog. Ar wahân i'r cnu bychan oddi wrth ryw bum cant o ddefaid unwaith y flwyddyn, prin y rhoddai'r *estancia* unrhyw fywoliaeth iddi, a gorfu iddi weithio'n galed i gael deupen y llinyn ynghyd. Trwy drugaredd gallai drin anifeiliaid a marchogaeth yn dda iawn ei hunan ac yr oedd hefyd yn graff ynglŷn â busnes. Nid oedd yn arbennig o weithgar a thaclus mewn tŷ ond rhoddai bwys mawr ar hanfodion byw, o safbwynt ysbrydol, moesol, diwylliannol ac addysgol.

Er mai myfi oedd ei hunig blentyn magodd fy mam ragor o blant ar ein haelwyd nag y gallaf eu cyfrif y funud hon. Un ohonynt oedd fy nghyfnither Uriena. Yr oedd dealltwriaeth rhwng fy mam a'i chwaer Dilys – pe digwyddai rhywbeth i'r naill y buasai'r llall yn gofalu am y plant. Bu farw fy Modryb Dilys yn ifanc, ysywaeth, ac felly daeth un o'i merched bach hi atom i fyw. Cymerodd fy mam hefyd nifer o blant y brodorion i'w magu; byddai rhai ohonynt wedi cael cam gan eu rhieni ac angen gofal. Arhosai rhai ohonynt dros dro ac eraill am flynyddoedd lawer ac ni chofiaf am yr un yn gadael heb iddo fedru siarad Cymraeg yn rhugl. Yr un ddiwethaf i

Gwenonwy Berwyn a'i hail ŵr William Christmas Jones gyda Fred ac Uriena (a fagwyd fel brawd a chwaer yn dilyn marwolaeth Dilys Berwyn, mam Uriena)

gael ei magu ganddi oedd Norma Lopez sef y ferch fach a anfarwolwyd mewn darlun gan Kyffin Williams pan ymwelodd ef â'r Wladfa yn 1968. Y mae hithau wedi priodi erbyn hyn a chanddi bedwar o blant yn Nhrevelin. Byddwn yn ei gweld yn aml.

Pan oeddwn i'n chwe blwydd oed aeth fy mam â mi i Lundain i weld ac i ddod i adnabod fy *Grannie* ys dywedwn – mam fy nhad. Roedd hi'n wraig weddw ers blynyddoedd. Un o'r pethau cyntaf a ddysgodd yr hen wraig honno i mi oedd rhif y tŷ a'i gyfeiriad a hynny rhag ofn i mi fynd ar goll ar strydoedd Llundain; cefais siars hefyd fy mod i chwilio am blismon a dweud wrtho: '54 *Tudor Road, Eastham*'. Bûm yn chwilio am yr hen gartref y tro diwethaf y bûm yng Nghymru, ym 1983. Does neb o'r teulu yno erbyn hyn ond y mae'r hen dŷ yn ddigon tebyg i'r hyn ydoedd pan oedd fy *Grannie*'n byw ynddo.

Oddi yno aethom i Gaer. Roedd modryb i mi'n byw yn y fan honno a gyda hi y treuliasom y rhan fwyaf o'n hamser. Yno dysgais siarad Saesneg ac euthum i'r ysgol hefyd. Anghofiais fy Nghymraeg pan oeddwn i yng Nghaer ac aeth fy mam â mi wedyn at ein perthnasau yng Nglyn Ceiriog gan rybuddio'r plant yno nad oedd yr un ohonynt i siarad yr un gair o Saesneg â mi. Ymhen ychydig ddyddiau siaradwn Gymraeg yn rhugl a chredaf mai Cymraeg y gogledd sydd gennyf byth er hynny.

Ymhen dwy flynedd neu dair dychwelasom i'r Wladfa ond teithiodd fy mam ragor nag unwaith wedi hynny i Gymru gan fod ganddi nifer o gyfeillion yno.

Dechrau Gweithio

Yn ardal y Drofa Dulog a Moreia y treuliais fy ieuenctid ar ôl dychwelyd o Gymru, a gwaith caled a chrefftus iawn yno fyddai dyfrhau'r tir. Yn y lle cyntaf rhaid fyddai sicrhau fod un pen i gae yn uwch na'r pen arall ac yna gwneud lefelau – neu 'sgwarsus' fel y'u galwem – hollol wastad arno a hefyd gloddiau pridd o'u cwmpas a fyddai'n mesur rhyw droedfedd o uchder. Wedi gwastatáu'r sgwâr uchaf gwastateid sgwâr ychydig yn is nag ef a sicrhau clawdd o'i gwmpas yntau, ac felly ymlaen o sgwâr i sgwâr. Yna llenwid y sgwâr uchaf â dŵr. Wedi dyfrhau'r arwynebedd hwnnw yn dda gollyngid y dŵr i'r sgwâr agosaf ato, ac felly ymlaen. Llwyddai'r sawl a allai ddyfrhau yn dda i reoli a chadw digon o ddŵr hyd at y sgwâr olaf ond eto heb fod â rhagor nag a oedd yn angenrheidiol. Yr arbenigwyr yn unig a lwyddai i wneud hynny a byddai sgwâr olaf pawb arall fel rheol yn cael ei foddi gan ormod o ddŵr.

Byddai glanhau'r ffosydd yn waith budr gan y byddai'n rhaid sefyll yn y ffosydd a chodi'r mwd a oedd ar ôl ynddynt a'i osod ar y cloddiau. Ymgymerai'r holl gymdogaeth â'r gwaith hwn dan gyfarwyddyd rhywun a benodid gan Gwmni Unedig Dyfrhaol y Wladfa. Ymgasglem yn grwpiau o ffermwyr gyda'n gilydd i wneud hyn ac fel yn achos pob gwaith caled o'r fath diddanem ein gilydd trwy adrodd storïau a sgwrsio. Byddai pawb yn cyfarfod tuag un ar ddeg o'r gloch y bore, rhai â'u gwedd a'u haradr, eraill â'u rhawiau ac eraill â marchraw ys dywedasem – math o raw fawr a lusgid gan ddau neu dri o geffylau; hon a ddefnyddid i glirio a glanhau'r ffos. Arferai'r Br Isaac Jones ei wedd i ufuddhau i'w orchmynion lleisiol ac fe'i gweithiai heb awenau ac felly'n fanteisiol iawn pan fyddai ei ddwy law ef ar y rhaw. Cofiaf fod unwaith bompren a oedd wedi suddo ychydig a ninnau'n gorfod ei chodi. Roedd tipyn o sbwriel wedi cronni dan y bont ac ambell i anifail bach wedi marw yno. Cofiaf Siencyn Watcyn yn glanhau un pen iddi ac yn dweud, 'Wel, bois bach, mae holl ddrewdod y greadigaeth dan y bont yma.'

Cofiaf yn arbennig am y cymwynasgarwch a geid ymhlith y cymdogion, megis y cynaeafu, y dyrnu, ac yn y blaen, a chynorthwyent ei gilydd yn gyson. Gwaith am waith fyddai'r rheol. Ni falient ryw lawer am faint y gwaith hwnnw – os byddent wedi cael cymorth mewn dyrnu bach aent i gynorthwyo wedyn mewn dyrnu mawr yr un fath yn union, gan dreulio llawer iawn mwy o amser wrth y gwaith hwnnw nag ar y ffermydd bychain.

Byddai'r gymdogaeth yn glos iawn hefyd ar adeg o argyfwng megis salwch neu orlifiad ar ôl stormydd.

Yr oeddem ni yn byw saith milltir neu ragor o Gapel Seion, Bryn Gwyn lle'r oeddem yn aelodau, ac o'r herwydd cychwynnem oddi cartref yn fore, gan amlaf â'n bwyd gyda ni mewn basged. Wedi'r cwrdd bore byddem naill ai'n ymweld â chyfeillion a fyddai'n ddigon caredig i'n gwahodd neu arhosem yn y festri. Yn fynych iawn arhosai tri neu bedwar teulu yn y festri a golygai hynny ein bod ni'n gwneud tân ac yn cynhesu'r dŵr gyda'n gilydd ac yn gosod y byrddau, a'r drefn hefyd fyddai rhannu'r bwyd gyda'n gilydd. Digwyddai hynny am ganol dydd ac oni fyddai'r tywydd yn anarferol o braf yn yr haf byddem fel rheol yn mynd adref ar ôl yr Ysgol Sul yn y prynhawn. Anaml yr arhosem i gwrdd y nos oherwydd y pellter. Byddai gennym weinidog yr adeg honno.

Yr adeg honno hefyd byddai gennym gyfarfodydd mynych yn ystod yr wythnos yng Nghapel Seion, Bryn Gwyn, fel y seiat ar nos Fercher a chyfarfod llenyddol yn weddol gyson. Cofiaf fynychu cyfarfodydd y *Band of Hope* yno ar un cyfnod ac yn ddiweddarach sefydlwyd adran o Urdd Gobaith Cymru. Yn y capel y byddai'r cyfarfodydd hynny hefyd a threuliem lawer o'n hamser yno yn paratoi ar gyfer cyngherddau, cyfarfodydd cystadleuol, mabolgampau, ac yn y blaen. Yn y capel hefyd y cynhelid y cyngherddau ac fe'u ceir yno hyd heddiw er mai ychydig iawn a fydd yn mynychu'r capel heddiw-ddydd gan fod cenhedloedd eraill wedi tyrru i mewn i'r holl ardaloedd a'r Cymry wedi mynd yn lleiafrif bychan iawn. Y mae llawer iawn ohonynt hefyd wedi priodi â Lladinwyr ac arferiad cyson iawn gan y Lladinwyr yw ymweld â'i gilydd am hwyl ar y Sul yn hytrach na mynychu oedfaon.

Aem am dripiau Ysgol Sul bron bob blwyddyn. I lan y môr yr elem gan amlaf ond weithiau cymerai'r sgyrsion gyfeiriad arall, fel picnica (neu 'gwi-gŵyl' ys dywedasai Taid Berwyn) ar lan afon a than y coed.

Yr unig lyfrau a fyddai gennym ni i'w darllen yn y Gymraeg fyddai *Cymru'r Plant* a'r Beibl ac ychydig iawn a ysgrifennem yn ein mamiaith gan mai Sbaeneg yn unig a gaem yn yr ysgol ddyddiol, ond cofiaf ysgrifennu at Syr Ifan ab Owen Edwards i ymaelodi â'r Urdd ac i gynorthwyo i sefydlu adran ym Mryn Gwyn a Phont yr Hendre. Y mae'r llythyrau a dderbyniais ganddo yr adeg honno yn dal i fod yn fy meddiant.

Yn y flwyddyn 1932 fodd bynnag daeth trychineb mawr i chwalu ein cymdeithas glos, gymdogol. Gorlifodd Afon Camwy dros yr holl Ddyffryn a chollodd rhai ohonom ein

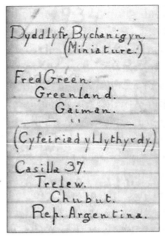

Blaenddalen dyddiadur Fred Green o'r 1930au

holl eiddo. Gadawodd nifer fawr o'r bobl ifainc y Dyffryn; aeth rhai i ennill eu bywoliaeth i ardal yr olew – Comodoro Rivadavia, rhai eraill i Buenos Aires, a rhai i Ogledd America a lleoedd pellennig eraill, ac aeth llawer o'r merched i weinyddu i'r Ysbyty Prydeinig yn Buenos Aires. Bu'r ychydig a arhosodd ar ôl am fisoedd lawer heb allu dychwelyd i'w cartrefi a bu rhan o'r Dyffryn dan ddŵr am flwyddyn gron gyfan. Ond does ddrwg i neb nad yw'n dda i rywun, a phan geir tywydd gwlyb yn y Dyffryn bydd y paith yn elwa ac yn blodeuo. Felly penderfynais innau hefyd adael cartref a mynd i weithio ar ffarm fy nhad i'r *Estancia la Primavera* ger Rhyd yr Indiaid. Yr oedd yn newid go fawr i mi – o fywyd cymdeithasol clos i fywyd unig iawn lle nad oedd fawr iawn o gydweithrediad i'w gael ymhlith cymdogion – pawb drosto'i hun oedd hi yno ar y paith.

Tir sych, diborfa â thwmpathau o ddrain arno yw'r paith ond gan fod dŵr i'w gael yn gyson mewn tarddiadau a ffynhonnau y mae'n addas i gynnal anifeiliaid. Ceir parthau ohono heb ddim tarddiadau dyfriol o gwbl ac wrth gwrs, anodd yw cynnal dim yno. Yn y Wladfa gwahaniaethir rhwng tarddiad a ffynnon. Tarddiad yw'r lle y daw dŵr i'r wyneb, dan ryw garreg fel arfer, a ffynnon a ddywedwn ni yma bob amser am bydew, neu dwll wedi ei gloddio yn y

Gweithio ar y fferm

ddaear i chwilio am ddŵr. Gall y pydewau hyn fod yn ddyfn iawn a gwn am *estancias* i gyfeiriad glan y môr ger Trelew a Gaiman a hefyd allan ar y paith lle y mae'r pydewau dros ganllath o ddyfnder. Ni fuaswn i fy hun yn dewis gweithio dim ar dir lle y mae dŵr mor brin gan fod pydewau mor gostus ac mor beryglus. Collodd llawer iawn o fechgyn eu bywydau ynddynt – rhai Cymry yn eu plith – a methiant fu pob ymdrech i gael rhai cyrff i'r lan. Ond ceir erbyn hyn weithwyr sydd yn arbenigo ar waith caled a pheryglus o'r fath, a gellir cael cyflawnder o ddŵr ar rai adegau.

Tir addas i fagu defaid Merino yw'r peithdir hwn. Dafad fach, galed sydd yn magu gwlân da yw'r Merino a'n diddordeb ni fel ffermwyr ynddi ydyw'r gwlân hwnnw. I gadw un ddafad yn unig, fodd bynnag, y mae angen tair neu bedair *hectaria* ac o ganlyniad y mae'n rhaid cael diadell fawr iawn a llawer iawn o dir er mwyn i holl ymdrechion y ffarmwr fod yn werth y drafferth. Cedwir cryn dipyn o geffylau ac ychydig o eifr a gwartheg arno er mwyn cael cig a math o wlân i'r brodorion ond nid yw'n dir da i wartheg fel rheol.

Gweision ac estroniaid oedd wedi bod yn gofalu am yr *estancia* ers i 'nhad farw, cyn i mi fynd yno. Sianti bychan iawn oedd y tŷ ac roedd mewn cyflwr truenus. Roedd y lle'n unig iawn, heb ddim ffensus o'i gwmpas ac yn agored iawn i ymosodiadau gan wylliaid pe dymunent hynny. Bu'n rhaid i mi ddechrau o'r cychwyn a magu profiad i godi'r lle ar ei draed. Roedd yn fywyd go galed ond ar yr un pryd roeddwn i'n hoffi'r her.

Rhyw ugain mil o hectarau yw'r *estancia*. Golyga hynny 8 lêg sgwâr. Y mae'n swnio'n fawr iawn, wrth gwrs, ond rhaid cofio mai tir tlawd ydyw. Bu'r ffensio'n gynnyrch blynyddoedd o weithio caled. I ddechrau gorfu i mi dalu i beiriannydd fesur a dangos y terfynau i mi a gosod pyst bychain ar hyd-ddynt. Gorfu i mi hefyd gael gweithwyr a cheffylau ac ychen i gludo'r coed ar gyfer y ffens. Y mae llawer math o ffens, wrth gwrs, ond yr un fwyaf cyffredin yma yw rhyw bump o wifrau a pholion bob rhyw ugain metr neu lai a physt bychain yn crogi rhwng y polion hynny – *varillas*. Gwnaed y gwaith hwnnw dros ddeugain mlynedd yn ôl. Heddiw-ddydd y mae fy mab ieuengaf, Erik, wrthi'n eu hadnewyddu. Ei fantais ef yw bod ganddo ei foduron a'i dractorau heblaw'r ceffyl i gludo'r offer a bod lleoliad y ffens yno eisoes a dim angen ei mesur i gydymffurfio â gofynion y llywodraeth.

Prin y cawsai fy nhad gyfle i wneud llawer o welliannau ar y paith ond y mae un peth a wnaeth sydd yn rhyfeddod i mi, sef y modd y llwyddodd i sicrhau fod yr holl dir, er syched ydyw, o fewn cyrraedd rhesymol i darddleoedd o ddŵr, ac o ganlyniad ni bu'n rhaid i ni gloddio amdano fel cynifer o *estancieros* eraill. Yr oedd angen cael dŵr i'r tŷ, er hynny, ac un peth a wneuthum nad oedd neb arall wedi ei wneud yno o'r blaen oedd troi dŵr o wahanol darddleoedd at ei gilydd a chael digon o ddŵr i allu dyfrhau rhan fechan o'r tir i blannu coed a gwneud gardd. Cofiaf i gryn sylw gael ei wneud o'n llwyddiant

Tudalen o ddyddlyfr 1934

yn troi'r dŵr mewn ffos heibio i'r tŷ a chael plannu coed ffrwythau a choed cysgodol a hau ychydig bach o borfa – yn cynnwys alffalffa sydd yn debyg i deulu'r meillion – a llwyddo i dorri gwair ar lain bychan o dir.

Byddai'n anodd cludo popeth i'r *estancia* yn y cyfnod hwnnw ac yn fynych iawn aem yn brin o angenrheidiau megis blawd a siwgr a *yerba mate* a gwelais adegau pan nad elem i siopa ond unwaith y flwyddyn. Byddai gennym ddigon o gig, llaeth, ymenyn, caws a ffrwythau o'r ardd, wrth gwrs, ond weithiau byddem am wythnosau heb datws. Llwyddai rhai i dyfu ychydig ohonynt ond doeddwn i ddim yn fodlon ar gael rhyw gymun, roeddwn i am blannu sachaid neu ddau. Yn y cyfnod hwnnw roedd Cymro o'r enw Rhun Berry Rhys – mab i James Berry Rhys a oedd ymysg y fintai gyntaf – yn cadw cwmni i mi, ac roedd o'n ffarmwr da iawn. Aeth ati i arbrofi â thechneg neilltuol i dyfu tatws. Paratôdd y tir yn drwyadl, ei aredig a'i drin yn fanwl ac yna gwneud cwys ddofn. Wedi ei dyfrhau plannai'r daten yng ngwaelod yn hytrach nag ar ochr y gŵys a phan ymddangosai'r gwlydd gofalai briddo'r tatws bump neu chwech o weithiau fel mai dim ond blaen y gwlydd yn unig a fyddai yn y golwg, ac yna, pan fyddai hi'n rhewi, dim ond ychydig o flaen y dail a ddifethid gan y rhew. Trwy gyfrwng y dechneg hon llwyddai i gael cnwd da iawn a gwnâi'r un hadyd i ni am flynyddoedd lawer.

Treuliwn y rhan fwyaf o'm hamser, wrth gwrs, yn bugeilio'r defaid, ac i wneud hynny yr oedd yn hanfodol i mi ymwneud llawer iawn â'r brodorion a oedd o gwmpas. Hefyd magwn geffylau a'u dofi a'u paratoi ar gyfer y gwaith caled a oedd gennyf i ofalu am y defaid ar beithdiroedd mor eang. Yn wir, yr unig ffordd i fugeilio'r defaid oedd ar gefn ceffyl a deuthum yn fedrus ar drin ceffylau. Bydd rhai o ffermwyr y paith – yr *estancieros* – yn defnyddio beiciau modur erbyn heddiw ac felly'n creu math o lwybr ar hyd y ffens ond mewn gwirionedd nid yw hynny'n arbed dim arnom gan ei bod yn ofynnol i ni deithio'n groes ac yn ôl ac ymlaen at wahanol byllau dŵr a ffynhonnau, felly mae'n rhaid cael cryn dipyn o geffylau. Heddiw-ddydd mae gan fy mab ryw dri deg o geffylau ar ei gyfer ef ei hun ac oddeutu'r un nifer ar gyfer y gweision. Aiff rhai o'r ceffylau wrth gwrs yn hen a di-fudd yn eu tro a'u hadeg ac y mae'n ofynnol iddo ddofi rhai newydd bob blwyddyn. Y *criollos* [brid brodorol], ceffylau celyd iawn a ddaeth yma yn sgil y Sbaenwyr yw'r rhywogaeth gyffredin yma. Dyma'r ceffylau marchogaeth gorau y gellir eu cael yn y rhan hon o'r byd. Y maent yn fwy na'r merlyn ac yn llai na'r ceffyl gwedd, a heb fod yn annhebyg i'r Cob Cymreig.

Yn wahanol iawn i ffermwyr Cymru, magu defaid am eu gwlân yn unig a wnawn. Ni fyddwn yn gwerthu ŵyn i'w cigydda, er enghraifft, ond yn hytrach yn eu cadw'n llydnod am bedair neu bum mlynedd er mwyn cael eu cnu. Cedwir y defaid yn yr un modd hyd oni byddant yn bump neu chwe blwydd oed ac wedi magu cymaint â phosibl o ŵyn. Erbyn hynny bydd eu dannedd wedi treulio'n fonion a phe cadwem hwy am ragor o amser fe gollent ddant. Braidd yn anymarferol fuasai rhoi dannedd gosod iddynt fel y gweir mewn arbrofion yng Nghymru gan y gorfodid ni wedyn i weld y ddafad yn aml, tasg hollol amhosibl mewn tiroedd mor eang, wrth gwrs. Clywais sôn am roi dannedd gosod i ymestyn einioes gwartheg ym Mhatagonia, fodd bynnag. Yn yr Andes nid oes dim traul ar ddannedd y defaid gan fod y borfa'n ardderchog yno.

Uchafbwynt y flwyddyn i ni ar yr *estancia* yw'r cneifio, wrth gwrs. Bydd hynny'n para am wythnos neu bythefnos, yn dibynnu ar y tywydd ac ar amgylchiadau'n gyffredinol a chyflogwn rhwng deg a dau ddeg o gneifwyr i ymgymryd â'r gwaith. Yr arferiad yn y wlad hon yw bod yr ymgymerwyr yn gofalu am eu bwyd eu hunain ond rhai o'r pethau a roddwn ni'r perchenogion iddynt heblaw eu tâl yw eu cig a choed i wneud tân i'w goginio. Ni chânt ddewis eu hanifail ond maent yn rhydd i ladd y defaid a ddewiswn ni iddynt. Aiff hynny weithiau'n fwy na llwdn y dydd. Rhaid i ni hefyd hel y defaid a'u corlannu. Golyga hynny gael cymorth gweision, wrth gwrs. Bydd ein gwaith ni'n gorffen unwaith y bydd yr anifeiliaid yn y gorlan a daw'r cneifwyr â'u hoffer eu hunain a phopeth arall. Dylwn nodi, fodd bynnag, fod yr oes yn newid a bod fy nau fab yn gneifwyr penigamp erbyn hyn.

Ein tasg ni wedyn fydd gwerthu'r gwlân. Mae prynwyr gwlân yn brin iawn ambell flwyddyn a phe baem yn gorfod gwerthu'r cwbl i farchnad fewnol y wlad hon pris isel iawn a gaem, felly dibynnwn yn gyfan gwbl ar ei allforio i brynwyr a ddaw atom o Rwsia, Tsieina a Japan yn fwyaf arbennig. Weithiau fe'n gorfodir i'w gadw hyd oni chawn bris derbyniol ac yn y gorffennol bûm yn cadw'r gwlân am flwyddyn. Anodd iawn fuasai mentro gwneud hynny heddiw-ddydd pan fo angen cymaint o arian i droi. Y gamp, wrth gwrs, yw gwybod yn union pa bryd y bydd y prisiau ar eu huchelfannau. Amrywia ansawdd y gwlân o un rhan i'r paith i'r llall. Yn y rhannau mwyaf llychlyd bydd yn ysgafnhau llawer wrth ei olchi a chaiff yr *estanciero* lai o bris ond yn y rhannau caregog, di-lwch bydd ei ansawdd yn ardderchog. Braidd yn llychlyd yw *Primavera* ac ar gyfartaledd rhyw bedwar cilo o wlân y pen a gawn ni ond bydd hwrdd da neu ddafad dda'n cynhyrchu'n agos i ddwbl hynny.

Y mae'n ofynnol i ni olchi a diheintio'r defaid. Bu'r clafr yn gyffredin yma ar un adeg, yn fwyaf arbennig am nad oedd y brodorion yn trochi eu defaid rhag lledu'r haint ond erbyn hyn llwyddwyd i'w atal bron yn llwyr. Ychydig fisoedd yn ôl dechreuasom roi cyffur newydd i'r defaid. Yn ôl pob argoel y mae hwn yn rhydd o unrhyw sgil-effeithiau ac yn lladd pob pryfyn y tu mewn a'r tu allan, yn cynnwys y clafr. Eithr amser a ddengys.

Bywyd unig iawn a gefais i ar y paith ac er y byddai fy mam yn byw gyda mi, allan ar y paith y treuliwn y rhan fwyaf o'r amser a phan elai hi ar ei gwyliau blynyddol i'r Dyffryn byddwn weithiau heb glywed yr un gair o Gymraeg na Sbaeneg yn ystod y cyfnod hwnnw. Ar y dechrau cymerai llythyr fis o amser i ddod o Ddyffryn Camwy i Ryd-yr-Indiaid yn y gaeaf a phythefnos neu ragor yn yr haf ac weithiau byddem am fis neu ddau cyn derbyn unrhyw newyddion. Pan feddyliwn fod llythyr wedi cyrraedd treuliwn yn agos i ddiwrnod yn mynd a dod i bentref bach Rhyd-yr-Indiaid i'w gyrchu ar gefn ceffyl. I'r sawl sydd angen cymdeithas agos y mae unigrwydd o'r fath yn sicr o fod yn llethol a chreulon. Gwn am aml i Gymro a aeth i'r paith gyda'r bwriad o wneud bywoliaeth yno ond a deimlodd y fath hiraeth am bobl a chapel a chymdeithas yn gyffredinol nes iddo orfod dychwelyd i'r Dyffryn i weithio mewn lle llawer llai.

Tua'r adeg hon cofiaf fynd i stôr ar y paith – peth prin iawn yno. Yn y rhan fwyaf o'r storsus y mae cegin fach i alluogi rhywun i goginio cig. Bydd y brodorion yn arfer prynu rhyw litr o win yn y stôr ar yr un pryd. Digwyddais gyrraedd yno pan oedd dyn newydd gael ei ladd. Buasai ffrae rhyngddo ef a rhywun arall yn y gegin fach a'r canlyniad fu i un ohonynt ymguddio y tu allan i'r gegin i ddisgwyl i'r llall ddod allan. Pan ddaeth fe'i trywanwyd yn farw â chyllell.

Er hynny rhaid cyfaddef i mi ddygymod yn iawn ag unigrwydd y paith. Canfûm ymhen ychydig fy mod yn medru dilyn trywydd anifeiliaid ar y tir, yn sylwi ar bopeth a âi heibio a'r hyn nad âi heibio; yn sylwi ar arwyddion y tywydd ac yn medru darogan sut y byddai gwahanol anifeiliaid yn ymddwyn. Yr un anian oedd yn fy mam gan ei bod hithau yn neilltuol o graff a gallai weld piwma o bell.

Vera Griffiths a Fred Green ar dydd eu priodas ar yr 2il o Fedi 1950

Dyna hefyd yw hanes fy mab ieuengaf, Erik, gan mai ef sydd yn byw yno erbyn hyn ac yn parhau â'r gwaith a gychwynnodd ei daid dros wyth deg o flynyddoedd yn ôl.

Wedi treiglad blynyddoedd priodais yn 1950 â Vera Griffiths, Cymraes o Gwm Hyfryd. Hanai ei theulu o Gastell Newydd Emlyn a daethai ei thaid, John Griffiths, i'r Wladfa.

Ymhen blynyddoedd ar ôl priodi bu'n rhaid i ni feddwl am symud i gyffiniau'r Andes yng Nghwm Hyfryd gan fod y paith a'i eangderau yn hollol anaddas i fagu plant, a dyna wynebu amgylchiadau gwahanol ym mhob ystyr, yn amaethyddol ac yn gymdeithasol, i'r hyn a oedd yn gyfarwydd i mi ar y paith ac yn Nyffryn Camwy. Yn wir, yr oedd fel ymfudo i wlad arall.

Cwm Hyfryd

Gadawsom yr *Estancia la Primavera* yng ngofal pobl eraill ac ymgartrefu ar lethrau Gorsedd y Cwmwl. Y tro hwn, gan mai rhyw dair milltir o ffordd sydd oddi yma i Drevelin, nid oedd cymaint o angen i ni ddringo bryniau i chwifio cadachau ar ein cymdogion yn unol ag arferiad y Gwladfawyr cynnar pan oedd eu ffermydd yn rhy fawr ac yn rhy bell iddynt ymweld â'i gilydd yn aml. Nid oedd angen dyfrhau'r tir hwn ychwaith a dibynnem yn bennaf ar fagu gwartheg i gynhyrchu cig. Yno yr ydym heddiw-ddydd, fy ngwraig a minnau a'r teulu. Er bod fy mab hynaf, Charlie, yn byw yn Nhrevelin gyda'i wraig a'u tri mab, ef sy'n trin y tir a magu'r anifeiliaid erbyn hyn gan nad wyf i'n gwneud llawer mwy na rhoi'r cyfrwy ar gefn fy ngheffyl a chrwydro ychydig ar y tir i weld bod popeth yn iawn. Bydd y mab ieuengaf, Erik, yn treulio'r rhan helaethaf o'i amser, fel yr eglurais, yn yr *Estancia la Primavera* yn Rhyd-yr-Indiaid, taith o 300 cilometr neu ryw 100 milltir oddi yma.

Codasom Pennant, y tŷ rydym yn byw ynddo, yn 1953 – gyda chymorth gweithwyr – gan ddefnyddio cynnyrch lleol. Mae ei rediad yn unionsyth o'r gorllewin i'r dwyrain a phan fydd yr haul yn taro ar ei dalcen bydd cysgod yr un fath ar y ddwy ochr a bydd yn un o'r gloch yma. Rydym awr o flaen yr haul a bydd yr amser hanner dydd yr un fath yma haf a gaeaf gan na fyddwn yn troi'r oriawr fel y gweneir yng Nghymru. Ei sylfaen yw concrid a cherrig a gawsom ar y tir. Torrwyd a llosgwyd y priddfeini cochion hefyd yn y fan a'r lle ac yma y torrwyd yr holl goed a ddefnyddiasom ar ei gyfer. Rhyw fath o 'styllennod o gypreswydd a elwir yma yn *tejuelas* sydd ar y to ac ar yr olwg gyntaf y maent yn ddigon tebyg i lechi. Coed a ddefnyddiwn i gynhesu'r tŷ. Y mae gennym le tân gweddol fawr yn y gegin, lle y gosodwn goedyn mawr i losgi, a lle tân ychydig yn llai yn y gegin fach lle y mae gennym stôf goed arall i gynhesu dŵr ond anaml iawn y'i defnyddiwn gan mai ychydig o dywydd arbennig o oer a gawn yma – eithriad fydd iddo barhau am ragor nag wythnos.

Bu llawer tro ar fyd ers pan fu Eluned Morgan heibio i'r ardal hon. Yn ei chyfnod hi yr oedd yn rhaid teithio yn gyfan gwbl ar gefn ceffyl neu ar droed oherwydd y coed a'r drysni. Disgrifia'r fan hon yn fanwl iawn yn ei llyfr *Dringo'r Andes*. Yr oedd yn goediog iawn ac y mae hi'n sôn am nant neu Afon Irfon. Dyna'r nant sy'n mynd trwy'r tir hwn ac yn cyflenwi dŵr i'r tŷ, ac yno ar lan nant Irfon y mae fy saerdy.

Fel ym mhob gwlad newydd y peth cyntaf a wnaed oedd clirio coed a'r ffordd hawsaf i wneud hynny yw eu llosgi. Ar y dechrau ni faliai neb faint o goed a losgid ond ymhell cyn i'r Cymry gyrraedd yma rhaid cofio bod y brodorion hwythau wedi llosgi cryn dipyn. Helwyr oeddent ac roedd arnynt angen llennyrch i daflu eu pelenni *boleadoras*. Pan fyddai'r coed yn dramgwydd iddynt ni fyddent fawr o dro yn eu tanio a'u clirio i wneud lle iawn i helwriaeth. Wedi i'r Cymry gyrraedd yma ac i bob un berchenogi ei fferm aeth pawb ati i glirio a llosgi llawer iawn. Yn ystod y blynyddoedd cyntaf cafwyd cynhaeaf toreithiog a chyflawnder o fwyd i ddyn ac anifail ac anodd iawn i genhedlaeth ifanc Cwm Hyfryd oedd dirnad caledi'r Hen Wladfawyr yn Nyffryn Camwy.

Hyd at ryw dair blynedd yn ôl deuai pobl o Chile – *Chilenos* – yma i arddio ond bellach fe'u hataliwyd. Arferent

Gorsedd y Cwmwl, un o fynyddoedd harddaf yr Andes

Y gwas, Jobel, gydag ychain yn llusgo coed yng nghoedwig Pennant

ddal tir am bum mlynedd ar y tro. Gan mai tir coediog a fyddai ar eu cyfer, llosgent y rhan fwyaf ohono – gan sicrhau digon o goed i wneud ffens neu wrych – a defnyddient ychen i godi'r gwreiddiau. Y prif anghenraid ganddynt yn y tir fyddai fod coed *maitén* yn tyfu arno. Gallent fod yn sicr wedyn ei fod yn dir da. Tyfent datws arno am ryw ddwy neu dair blynedd a gwenith a cheirch am ddwy arall cyn ei adael. Y telerau fel arfer fyddai hanner yr elw i'r perchennog a hwy eu hunain i gael y gweddill.

Pan ddisgynnai eira trwm ar y goedwig naturiol byddai'r goedwig honno'n cadw'r gwynt a'r haul rhagddo ac oedai yntau ar y tir am fisoedd lawer. Gan fod y tir hwnnw'n llawn dail, cadwai'r lleithder ef fel sbwng. Prin y ceid gorlifoedd yn y cyfnod hwnnw gan y cadwai'r afonydd yn weddol wastad gydol y flwyddyn. Pan dynnwyd y gorchudd o goed, fodd bynnag, toddai'r eira ar ei union gan olchi'r tir ymaith, a phan ddisgynnai'r glaw yn gawodydd trymion rhychai'r tir yn un gorlif mawr dros yr holl wlad. Erbyn yr haf ni fyddai rhagor o wlybaniaeth naturiol yn y ddaear ac âi'n sychach o lawer na chynt.

Dyma'r tiroedd a amaethir gennym ni heddiw-ddydd. O ganlyniad anogodd y Llywodraeth ni'n ddiweddar i ddychwelyd y tir i'w gyflwr cynhenid ac felly, ryw chwe blynedd yn ôl, aethom ati i blannu coed ar 25 hectar o'r ffarm. Erbyn hyn y maent yn tyfu'n wyrthiol ac eleni bwriadwn neilltuo llai o dir i'r anifeiliaid a thyfu rhagor o goed. Aiff yn anos bob blwyddyn i ni gadw defaid yng Nghwm Hyfryd pa un bynnag gan fod anifeiliaid fel y llwynog a'r piwma wedi cynyddu cymaint ac yn peri colledion inni. O ganlyniad rydym ni yma ym Mhennant yn rhoi'r gorau i fagu defaid eleni ac yn eu symud i Ryd-yr-Indiaid.

O safbwynt yr amaethwr, hanfod pennaf tyfu coed yw amynedd – blynyddoedd lawer o amynedd – i ddisgwyl iddynt dyfu. Ar y dechrau, wrth gwrs, y mae'n rhaid sicrhau nad yw'r anifeiliaid yn cael pori eu blaenau. Yna, wedi iddynt dyfu rhyw lathen a hanner neu ddwy mae'n bosibl rhoi ychydig o warteg yno i bori, ond ar hyn o bryd rhaid i ni gadw'r gwarteg yn gyfan gwbl ar y gwaelodion a'u gollwng i bori yn y coed yn unig pan fydd y borfa'n ddigonol yno ac na wnânt felly ymyrryd â'r coed. Prin iawn yw'r pinwydd gan ei bod yn ofynnol plannu pob un o'r rhain ond trwy drugaredd y mae'r cypreswydd yn hunan-atgynhyrchiol ac y mae yma filoedd onid miliynau o goed bach yn tyfu dros y tir hwn.

Gweddoedd o ychen a ddefnyddiwn i lusgo'r coed. Cysylltir pob gwedd â iau. Pren sydd yn ffitio ar gyrn yr ych yw'r iau a chlymir ef yno. Gall gwedd dda o ychen lusgo bron unrhyw goeden o fewn rheswm. Os bydd yn goeden hir iawn a throm mae'n bosibl defnyddio dwy neu hyd yn oed dair gwedd o ychen i'w chludo hi dros leoedd anodd iawn – mannau na fuasai ceffylau byth yn mentro iddynt – a chan eu bod hwythau yn bwyllog gellir eu gosod ynghanol y coed a llusgo pren o hwb i hwb. Dysgwyd yr ychen i lwytho'r drol hefyd ac ar orchymyn eu meistr gallent godi'r goeden i fyny i ben trol a'i symud yn ôl ac ymlaen nes iddi orffwys yn gytbwys ar yr echel. Yn fy mhrofiad i y mae ych yn haws i'w ddofi, yn fwy deallus ac yn dod i adnabod ei feistr yn gynt na cheffyl a gellir gosod ych mewn lle anodd hyd oni fydd bron â suddo mewn mwd. Yn wir, bydd yr un mor dawel ac yn tynnu yr un mor gryf yn y fan honno â phe bai mewn lle hawdd. Gall ych fyw am ugain mlynedd a rhagor os caiff ddigon o fwyd ac os llwyddir i'w gadw'n ddianaf; gwn am ychen a fu dan yr iau am dros ugain mlynedd. Bu adeg pan ddeuai *Chilenos* i dorri coed hefyd, ond yr oedd hynny ryw ugain mlynedd yn ôl. Defnyddient ychen i lusgo'r coed yn weddol agos at y tŷ, yna fe'u llifient yn 'styllennod. Wedi iddynt orffen y gwaith dychwelent i Chile mewn cwch dros Afon Fawr – sef y llinell derfyn rhwng Chile a'r Ariannin – a'u ceffylau'n nofio wrth ei hochr.

Er bod rhan helaethaf ein tir dan goed, magu gwartheg i gynhyrchu cig a wnawn ar weddill y tir, a brîd y gwartheg Henffordd yw'r mwyaf cyffredin yma. Rhaid iddynt fod yn gelyd ac yn abl i ddioddef yr oerni a geir yma gan nas cedwir dan do yn y gaeaf a hefyd i ddal y sychder a geir yn yr haf. Golyga hynny mai methiant a fuasai'r gwartheg meddal yma ond credaf y buasai Gwartheg Duon Cymru'n ddelfrydol yma, a breuddwyd gennyf ers tro bellach yw cael rhai ohonynt, ond bod anawsterau gwleidyddol a diffyg cyfalaf digonol yn rhwystr ar hyn o bryd.

Ar un cyfnod magu'r lloi a wnaem ond erbyn hyn fe'u gwerthwn i gyd pan fyddant rhwng hanner blwydd a saith mis oed, a hynny i ffermwyr i lawr yn Nyffryn Camwy ger Trelew sydd â gwair alffalffa i'w pesgi ar gyfer cynhyrchu cig. Yn y gwanwyn, tua diwedd mis Awst yw'r adeg orau i fwrw lloi. Erbyn mis Medi bydd tyfiant neilltuol o dda yma a chan fod tuedd yn y gwartheg i laetha'n ormodol rhaid edrych ar eu holau rhag iddynt gael y gawod. Yn anffodus digwydd hynny pan enir y llo a ninnau ddim yn ei weld ef na'i fam am rai dyddiau am eu bod o'r golwg yn y coed, ac o dro i dro gofid mawr i ni yw gweld y llo'n methu â sugno'i fam oherwydd bod ei phwrs wedi chwyddo ac yn rhy ddolurus iddo fynd ati.

Bu newid mawr ym myd amaeth yn y blynyddoedd diwethaf. Hyd yn ddiweddar iawn cario gwair yn rhydd ac yna ei dasu a wnaem a byddai cyflenwad digonol o weithwyr wrth law. Deuai nifer ohonynt o wlad Chile yr ochr draw i'r mynyddoedd, ond rhwng mân-ryfeloedd a'r sefyllfa wleidyddol bresennol yn y wlad honno, erbyn heddiw fe'u gwaherddir rhag dod i'r Ariannin ac aeth gweision mor brin ag aur. Erbyn hyn mae peiriannau'n dod yn boblogaidd ac y mae'r byrnwr i drin y gwair yn beth gweddol boblogaidd ac wedi cyrraedd bron i bobman. Braidd yn hen-ffasiwn yw'r rhai ohonynt a olygai glymu'r wifren â llaw fel yr â'r byrnwr yn ei flaen ond y rhai mwyaf poblogaidd yw'r rhai sydd yn clymu'r byrnau ohonynt eu hunain. Y mae yma beiriant torri gwair i wneud silwair ond ar hyn o bryd prin iawn ydyw yn y Wladfa. Credaf fod dyfodol iddo, fodd bynnag, yn neilltuol ar dymhorau gwlyb gan ei fod yn hawdd iawn i'w weithio ar wastatir Cwm Hyfryd a Dyffryn Camwy ac y mae hyd yn oed y chwyn yma'n gwneud silwair iawn. Yn ddiweddar llwyddodd Charlie i gael tractor gyriant pedair olwyn ond drud iawn yw peiriannau'r wlad hon. Pan deithiais i Gymru y llynedd sylwais fod y peiriannau yno'n rhatach na'r rhai a geir yn ein gwlad ni a'r un ydoedd profiad dau o'm plant ar eu hymweliad â Chanada ac Unol Daleithiau America y llynedd. Y rheswm am y prisiau uchel yw'r chwyddiant ariannol enbyd a fu'n llethu ein gwlad yn ystod y blynyddoedd diwethaf.

Trwy drugaredd codir pensiwn yr henoed gyda'r chwyddiant a thra bo gan rywun eiddo, cyfyd hwnnw i ganlyn y chwyddiant, ond i bâr ifanc sydd am brynu tŷ neu ffarm y mae hi'n bur dywyll arnynt.

Ychydig flynyddoedd yn ôl, pan oedd y chwyddiant yn ei

Charlie Green gyda'i wraig, Margarita Jones a'u meibion,
Alan, Gery a Brian a phlant Brian, Dianne ac Ian

anterth a phris petrol wedi codi'n ddirybudd, cofiaf ddweud wrth y ddau fab am ddefnyddio llai ar eu moduron. 'Faint a wariaist ti i fynd i Drelew y diwrnod o'r blaen?' gofynnodd Charlie, yr hynaf.

'Hyn a hyn,' meddwn innau.

Wedi pendroni am ysbaid, dywedodd, 'Dau lwdn ac ychydig bach yn rhagor yw hynny. Faint fuaset ti wedi'i wario bedair neu bum mlynedd yn ôl?'

Aethom ati i gyfri'r gost a gweld y byddai wedi bod yn nes at bum llwdn yr adeg honno a dyna fy narbwyllo nad oedd y sefyllfa gynddrwg wedi'r cyfan. Mae'r bobl ifainc wedi cynefino â'r chwyddiant o'u mebyd ac yn medru edrych arno'n hollol wrthrychol.

Heb fod nepell oddi yma hefyd y mae argae mawr yn

cynhyrchu trydan. Er y caniateir i ni ddefnyddio ychydig o'r trydan ar gyfer ein cartrefi, aiff y rhan helaethaf ohono'n uniongyrchol i Borth Madryn i gynhyrchu alwminiwm yn bennaf. Rhyw ddwy neu dair blynedd yn ôl y cawsom drydan cyhoeddus ac erbyn hyn gallwn ddefnyddio peiriannau i lifio a llyfnhau'r coed. Cyn hynny roedd gennym rod fechan – tyrbin – a honno a gynhyrchai olau ar gyfer y tŷ. Eithr nid oedd ynddi ddigon o rym i weithio'r peiriannau'n gywir ac roedd braidd yn drafferthus i'w gweithio gan y byddai'n rhaid cronni dŵr i gae yn ystod y dydd i weithio'r rhod yn ystod y nos. Byddai'n rhaid cychwyn a diffodd y peiriant fore a nos a chyda threigl y blynyddoedd aethai'n hen a thrafferthus a byddai arno angen ymgeledd cyson.

Gauchos a Dofi Ceffylau

Gaucho y galwn ni'r math o weithiwr a elwir yng Ngogledd America yn gowboi, sef y dyn sydd yn gofalu am anifeiliaid. Ond yma mae ystyr arall i'r enw *gaucho* hefyd. Pan ddywedir fod dyn yn *gaucho* golygir ei fod yn gymwynaswr ac yn ddyn y gellir ymddiried ynddo, ond os gelwir ef yn *mal gaucho* y mae hynny cystal â'i sarhau.

Mae'r *gaucho*'n byw yn gyson gyda'i geffylau. Bydd ganddo ragor nag un ceffyl ond anaml iawn y bydd yn rhaid iddo eu bwydo – y cwbl a wna yw eu gollwng i bori i wair da. Mae'r ceffylau'n rhai celyd iawn ac wedi eu gweithio am ddiwrnod neu ddau bydd yn eu gollwng yn rhydd i bori ac i atgyfnerthu. Anaml iawn y bydd yn pedoli'r ceffylau ychwaith.

Bydd gan y *gaucho* bob amser gyfrwyon a elwir yn *recado*. Cyn gosod y cyfrwy bydd yn gosod math o garped ar gefn y ceffyl: ei bwrpas yw sugno'r chwys. Ar ben hwnnw wedyn rhoddir haenau o garpedi meddal a'r cyfrwy ar eu pennau hwythau. Nid y cyfrwy cyfarwydd i Brydain mohono ond darn o ledr hirgrwn wedi ei lenwi â rhyw badin mawr cryf yn y canol sydd yn ffurfio dwy aden i orwedd un o boptu i asgwrn cefn y ceffyl. Cyfyd hwn y marchog ddwy fodfedd ac felly ni fydd byth yn eistedd yn union ar gefn y ceffyl ond yn hytrach ar y *bastos* fel y'i gelwir. Ar ben hwnnw wedyn rhoddir croen dafad neu rywbeth cyffelyb a chengl dros gefn y ceffyl ac oddi tan ei fol i wasgu a chadw'r cwbl yn ei le. Nid yw'n beth cyfforddus iawn i'r ceffyl mewn gwirionedd. Y mae cyfrwyon eraill yn well i'w gefn ond y mae hwn yn gyfforddus iawn i'r marchog ac yn beth hwylus a buddiol a phan dynnir ef oddi ar gefn y ceffyl gwna wely ardderchog. Yr adeg honno gosodir y croen dafad yn isaf ar y ddaear, yna agorir y carpedi o'u plyg i orchuddio'r sawl a fydd yn cysgu a gosodir y *bastos* dan ei ben fel gobennydd. Mae llawer iawn o ddynion wedi treulio eu bywyd yn cysgu ar wely o'r fath. Gellir ei daenu yn unrhyw le, wrth fôn coeden neu dwmpath a hwn yw gwely arferol y *gaucho*.

Mae'r *gaucho* fel rheol yn gwisgo siaced fechan dros ei ysgwyddau a het ddu â'i chantel wedi troi i fyny a chadach mawr wedi ei glymu am y gwddw. Ar adeg gŵyl neu ryw achlysur arbennig cadach gwyn a fydd ganddo a llythrennau neu flodau wedi eu gweithio'n batrwm i'w gorneli. Llodrau llydain yn crychu ar y gwaelod a elwir yn *bombachas* fydd ganddo, yna esgidiau uchel at y pen-gliniau, a gwregys am ei ganol a wneir fel rheol gan wragedd y brodorion. Byddant yn nyddu gwregysau o wlân lliwgar â phatrymau tlws iawn arnynt. Bydd gwregys oddeutu tair modfedd o led a dwy fetr a hanner o hyd ac felly'n ddigon hir i roi dau dro am wasg y *gaucho*. Hwn sy'n dal ei lodrau rhag disgyn ond hefyd mae'n hwylus i ddal cyllell neu erfyn arall. Bydd angen y gyllell arno i ladd a blingo'r anifail a fydd wedi ei hela gan mai cigfwyd fydd bron ei holl fwyd. Bydd hefyd yn torri'r croen ac yn ei blethu'n gelfydd iawn a'i addurno â'i gyllell.

Gwn, er na welais i mo hynny'n digwydd, am ddynion a gafodd dorri eu bedd â chyllell gan nad oedd gan ei gyd-*gauchos* ddim ond yr erfyn hwnnw i wneud y gwaith. Ac wrth gwrs, os daw anghydfod a ffraeo mae'r gyllell wrth law.

Bu adeg wylltach pan fyddai gynnau'n cael eu cario hefyd, ond heddiw-ddydd does neb yn gwneud hynny ond yr heddgeidwaid.

Arhosai rhai o'r *gauchos* am flynyddoedd lawer yn yr un *estancia*, gan ymgartrefu yno, yn weithwyr da ac yn gymorth mewn llawer dull a modd. Byddai eraill wedyn yn treiglo o fan i fan ar hyd eu hoes – dibynnai'r cyfan ar gymeriad y dyn. Ceid eraill yn priodi ac yn magu teulu. Anaml iawn y ceir *gaucho* i wneud dim ond â cheffylau ac anifeiliaid. Pan fydd yn gadael y gwaith hwnnw bydd yn peidio â bod yn *gaucho*.

Cofiaf weld rhai miloedd o ddefaid yn cael eu gyrru trwy Ddyffryn Camwy yn y 1920au yng ngofal pedwar neu bump o *gauchos* ar gefn ceffylau. Ni welais i erioed yrr o wartheg yn cael eu gyrru fel hyn ond cofiaf adeg pan anfonid rhai o Gwm Hyfryd dros y ffin i Chile. Ar y dechrau anfonid cynnyrch y ffermydd i ddinasoedd mawrion Buenos Aires a Bahía Blanca ond pan ddarganfuwyd olew yn y de, datblygodd dinasoedd newydd fel Comodoro Rivadavia a dechreuwyd masnachu â hwy a cherdded yr anifeiliaid am bump neu chwe chan milltir. Pan ddaeth y trên rhoddwyd y gorau i'r arferiad hwnnw.

Cyn cyfnod y trên a'r wagenni, cludid llwythi o flodiau a bwydydd a diheintyddion i olchi'r defaid. Treuliai'r wagenni hynny fis o amser yn teithio o Ddyffryn Camwy i Gwm Hyfryd a mis i ddychwelyd a chryn antur oedd y daith. O tua'r 1920au ymlaen aeth teithio fel hyn yn anos a dechreuwyd defnyddio mulod yn lle ceffylau. Ar gyfer tua deuddeg wagen byddai tua chant a hanner o fulod ac fe'u gyrrid gan tua phymtheg o ddynion – yn frodorion a *gauchos*. Ymhlith y *gauchos* byddai Cymry ac un ohonynt oedd Lewis Dimol – ŵyr i Twmi Dimol – a adawodd y Dyffryn yn fachgen ifanc i fynd i weithio ar wagenni. Byddai ambell i ful heb ei ddofi'n iawn ac un tro, a'r wagenwr wedi

Gweithio gyda'r ceffylau yn Estancia La Primavera

bod yn ddiofal wrth osod y goler am ben un ohonynt, fe ddihangodd am ddegau o filltiroedd a Lewis Dimol yn ei ddilyn. Ymhen dau neu dri diwrnod y llwyddodd i oddiweddyd y gweddill, ac yntau erbyn hynny bron â llwgu gan na welsai yr un enaid byw ac y bu'n rhaid iddo fwyta *armadillo* neu unrhyw beth arall a lwyddodd i'w grafu ar y ffordd.

Y tafl-dennyn (lasŵ) sydd gan y *gaucho* i ddal anifail ac y mae camp ar ei thrin a meistroli'r dechneg. Yn gyntaf, mae'n rhaid cael rhaff weddol ystwyth tua thrwch y bys bawd. Rhaff gotwm yw'r peth hwylusaf heddiw-ddydd ond rhaffau o grwyn a ddefnyddid ers talwm.

Y mae rhaff rhyw bum metr o hyd yn ddigon hir i rywun dibrofiad ond mae'n bosibl cael un llawer hwy yn ôl gallu'r dyn i'w thrin. Y peth i'w wneud â'r rhaff yw gosod dolen o haearn ar ei blaen a cheir nifer o wahanol ddulliau o osod ychydig o bwysau ar flaen y rhaff fel ei bod yn aros yn ddolen fechan i roi pen arall y rhaff trwyddi i ffurfio dolen fawr, sef yr un y bydd rhywun yn ei throi uwch ei ben cyn ei thaflu â'i law.

Dyma sut y trinnir y rhaff i'w thaflu. Y mae'r ddolen fawr yn mesur rhyw dair metr ac yn crogi oddi wrth y llaw dde. Y mae'r ddolen fach yr ochr bellaf oddi wrth y corff – ac yn disgyn allan o'r llaw dros fys yr uwd gan grogi i lawr ryw lathen oddi wrth y llaw a'r bys sydd yn ei dal.

Yna fe'i troir dair neu bedair gwaith uwch y pen gan ofalu bod rhaid ymarfer tipyn bach â'r rhaff rhag iddi gordeddu. Wedi cael y cyflymdra angenrheidiol yn y troi fe'i teflir. Mae gweddill y rhaff yn dorchau yn y llaw chwith a rhaid gofalu fod honno'n llac i ddod allan o'r llaw yn hwylus. Gellir gafael yn dynn â dau neu dri bys yn y rhaff rhag iddi fynd i gyd, a'r bys a'r bawd arall yn dal y torchau eraill yn llac fel ei bod yn rhedeg allan pan deflir y ddolen dros y pen.

Cyn mynd ati i geisio dal anifail mae'n ofynnol ymarfer yn gyntaf – â phostyn wedi ei guro i'r ddaear, dyweder, a sefyll ryw dair neu bedair metr oddi wrtho ar y cychwyn. Yna, pan fedrir taflu'r ddolen yn gywir, rhaid rhoi plwc iddi i'w chau a'i chlymu am y postyn.

Un o'r pethau gorau i ymarfer ag o yw llo dof. Nid yw llo felly yn rhedeg gormod a gellir towlu'r tafl-dennyn am ei ben, a fydd o fawr o dro chwaith na fydd o wedi arfer â chael plwc a daw i wybod ei bod yn well iddo aros pan deimla'r rhaff yn disgyn am ei wddw.

Ar ôl dysgu'r dechneg yn iawn gellir dal anifail gwyllt, ond cofier y bydd yn rhaid bod yn gadarn ar ben arall y rhaff gan fod yr anifail gwyllt yn mynd i dynnu a cheisio dianc. Dylid anelu yn uchel am y gwddw, ger y clustiau yn hytrach nag yn is i lawr am y frest gan ei bod yn haws i'r anifail dynnu â'r rhan honno o'i gorff, a gorau oll os bydd dau ddyn yn ei ddal.

Y mae tafl-dennyn yn beth cywrain iawn a gall y rhai sydd wedi ei feistroli'n iawn wneud rhyfeddodau ag ef. Gallant dowlu rhaff dros gefn anifail gwyllt – boed fuwch neu geffyl – a pheri iddi ddisgyn o flaen yr anifail a chau am ei draed blaen fel y rhed ac yna ei faglu a'i gwympo.

Y lasiwr da yw'r un sydd byth yn methu. Aiff i'r gorlan a chael anifail i redeg, yna bydd yn towlu'r rhaff ymlaen, yn rhoi plwc a bydd yr anifail i lawr a'i draed i fyny mewn dim.

Y mae gennym ni enwau neilltuol ar y geriach a ddefnyddiwn at y gwaith, wrth gwrs. Defnyddiai John Daniel Evans y gair 'cebystr' am y rheffyn cryf sydd i'w roi am wddw neu ynghlwm wrth benffrwyn ebol pan fyddwn yn ei ddal. Y mae'r Sbaenwr yn arfer dweud *cabestro* am yr un peth. Byddwn ninnau hefyd yn defnyddio'r gair Sbaeneg. 'Penffrwyn' i ni yw rhaff i ddal pen y ceffyl heb ddim byd yn y geg – yr hyn a elwir yn *bosal* yn Sbaeneg. Rhaid i'r cebystr a'r penffrwyn fod yn gryf gan y bydd yr anifail yn sicr o geisio eu torri.

Wedi ei ddal fe'i clymir wrth bostyn sydd yn glir oddi wrth bob gwal a gwrych fel y bo'r ebol yn medru troi o gwmpas y postyn a rhaid gofalu clymu'r cebystr yn dynn. Y ffordd orau oll yw ei roi yn ddwbl – un pen ynghlwm wrth y penffrwyn ac yna rhyw lathen o raff gref at y postyn a llathen o'r un rhaff yn ôl at y penffrwyn. Ceir felly ddolen fawr rydd am y postyn – sy'n ddigon uchel i fod cyfuwch â phen yr ebol ac yn galluogi'r ceffyl i gerdded o'i gwmpas heb i'r rhaff gordeddu. O adael y ceffyl ynghlwm felly wrth y postyn am oriau lawer, neu trwy'r nos, o bosibl bydd wedi tawelu ychydig ac unwaith y delir ef nis gollyngir hyd oni fydd wedi dofi. Pan fydd yn y cyflwr hwn y mae'n ofynnol ei fwydo a rhoi diod iddo a gorau oll os bydd o olwg ceffylau ac anifeiliaid eraill. Os clyw weryriad neu arogl ceffyl tuedda i beidio â chymryd at ei ddofwr a cheisia ddilyn y lleill. Y mae'n ddealledig fod y dofwr i'w drin yn weddol garedig ond pendant iawn gan gofio mai ef yw'r meistr ac nid y ceffyl. Rhaid i'r dofwr beidio â gadael i'r ceffyl fod yn feistr neu bydd ar ben arno. Os yw'r ceffyl yn frathwr rhaid cael y llaw uchaf arno ar y dechrau cychwyn trwy roi ffrwyn yn ei geg a chlymu'r awenau rhag iddo godi ei ben i fyny, a'i drin yn y cyflwr hwnnw hyd oni fydd wedi ildio.

Wedi i'r ebol a'r meistr ddod i adnabod ei gilydd rhaid dysgu'r ebol i wneud tasgau arbennig. Y cam cyntaf yw ei ddysgu i gymryd ei arwain neu ganlyn heb orfod gweithio'n rhy galed. Os tynnwn yn ddigon cryf ym mhen arall y rhaff mae'r ebol yn sicr o ddod, wrth gwrs. Ond nid dyna yw'r amcan. Yr amcan yw cael yr ebol i ddod neu i fynd pan wnawn ni ond prin gyffwrdd â'r rhaff. Y dull yw ei fwytho ar ei wddw a'i balfais a galw arno wrth ei enw. Byddwn yn galw Ñerci neu enw arall arno ac yn cyffwrdd ei grwper â gwialen. Oni fydd yn gwneud sylw ohoni rhaid galw ei enw eto a tharo'r wialen yn galetach y tro nesaf ac yn galetach wedyn hyd oni fydd yn rhaid iddo ufuddhau. Dylai'r glatsien ddilyn yr enw bob tro ac yna, pan fyddwn ni'n galw'r enw Ñerci bydd yn disgwyl y glatsien ac yn dod. Y syniad yw iddo fynd o amgylch y postyn ar ei ochr chwith (ar yr ochr dde i'r dofwr). Wedi iddo roi dau neu dri thro i'r ochr honno dylid cyfnewid ochr fel ei fod yn dofi'n gyfartal i'w ddwy ochr. Bob tro y mae'n ufuddhau dylid ei fwytho eto ar ei wddw a'i balfais ac o dipyn i beth daw'r ebol i ddilyn yn iawn

Fy ŵyr, Brian, yn peri i'w ferlyn neidio a minnau yn ei wylio

Eto gyda'm hŵyr, Gery, â'i ferlyn Pinta

– i'r dde ac i'r chwith, ac i gwblhau ei wers gyntaf, ond dylid cyfyngu pob gwers i ryw ychydig funudau rhag i'r ebol a'r dofwr flino'n ormodol.

Wedi llwyddo i ddofi a dysgu ceffyl at ofynion cyffredinol ei berchennog gellir ei ddysgu i wneud mân bethau er diddanwch, fel ysgwyd llaw – neu droed yn achos ceffyl. Y ffordd arferol yw rhoi rhaff yn ddwbl a pheri iddo osod ei droed blaen i mewn yn nolen y rhaff hon, yna codi ei droed i fyny gerfydd y rhaff. Er mwyn iddo ymlacio'r goes dylid ei gael i ymarfer cyn hynny trwy rwymo'r rhaff dros ei ysgwydd fel ei fod yn cyfarwyddo ar dair coes. Wedi cael y goes flaen i'r ddolen rhaid, fel y dywedais eisoes, ei chodi, ond gan ddweud y ddau air 'ysgwyd llaw'. Bob tro y bydd wedi gwneud hyn rhaid cofio ei fwytho a bod yn garedig iawn wrtho. Cyn bo hir daw i'r arferiad a gŵyr ei fod yn eich plesio ac estyn ei droed flaen i chwi. Mae eisiau tipyn o amynedd ynglŷn â'r gwaith, wrth gwrs, ac nid yw mor hawdd ag y mae'n edrych ar bapur. Y mae'r dywediad 'dyfal donc a dyr y garreg' yn sicr o fod yn wir yn yr achos hwn.

Y mae gallu dofi ebol yn dda yn sicr o fod yn her i rywun. Nid gwaith hawdd mohono. Mae'n rhaid bod yn amyneddgar, mae'n rhaid bod o gymeriad cryf am fod gan ambell geffyl hefyd gymeriad reit gryf. Mae medru dofi ebol yn dda yn her ddiddorol i rywun ifanc ac wedi cael profiad wrth ddofi dau neu dri o ebolion gall wedyn fentro cymryd ceffyl sydd wedi mynd yn gastiog – ceffyl sydd yn tueddu i gicio, brathu neu ddychryn neu wrthod cymryd ei glymu. Mae'n bosibl tynnu'r castiau hyn ohonynt a'u dysgu i ymddiried yn eu meistr ac yn y diwedd deuant yn bur hoff o'r sawl a fydd yn eu trin.

Mae stori am un o ddisgynyddion y Cymry a

ymgymerodd â dofi ebolion. Yr oedd yn byw ar ei ben ei hun ar lannau Afon Fach ac roedd ganddo gryn ddeg neu ddeuddeg ohonynt i'w dofi. Fe'u daliai â thafl-dennyn ac âi ar eu cefnau a mynd â hwy allan i'r paith, a rywbryd cyn nos llwyddai i ddod â hwy yn eu holau. Dro arall, os oedd yr ebol wedi ffaelu, dychwelai at y gorlan ohono'i hun. Felly y llwyddai i'w dofi. Ond unwaith roedd ganddo hen geffyl castiog iawn a oedd yn lluchio a hynny heb fawr o rybudd. Gallasai fynd yn dda a didrafferth am ysbaid ac yna dechrau bycio. Un tro roeddent i fyny ar y creigiau uwchben yr afon ac fe ddechreuodd y ceffyl fycio gan redeg yn syth am yr afon ac am y creigiau. Meddyliodd y dyn ei fod am fynd drosodd i'r afon gan na welai fodd o gwbl i osgoi hynny, ond pan gyrhaeddodd y ceffyl at yr hollt yn y graig trodd yn ei ôl yn sydyn o ymyl y dibyn. Cafodd ddychryn dirfawr y tro hwnnw a bu'n fwy gofalus i ba le yr âi wedyn. Sylweddolodd y gallasai fod wedi cael damwain erchyll a hwyrach drengi y tro hwnnw.

Anifeiliaid Gwaith

Anifail yn ymddwyn o rym arferiad ac nid o ymresymiad yw'r ceffyl. Gellir dibynnu ar gi – ond nid pob un ychwaith – i weld bod angen gwneud rhywbeth neu weld ei ffordd o gwmpas, ond prin iawn y gellir dweud hynny am geffyl. Y mae ceffyl yn cael ei arfer yn dda neu'n ddrwg. Weithiau fe'i harferwn yn ddrwg yn ddiarwybod i ni'n hunain, ac yna rhaid cywiro'r arferiad hwnnw. Tasg go anodd yw honno'n aml iawn.

Y mae'r ych gwaith, a ddefnyddiwn yn yr Andes, yn fwy deallus yn fy mhrofiad i. Gallwn fynd i fyny i'r mynyddoedd trwy ganol coedwig â gwedd o ychen gwaith sydd wedi'u dofi ac wedi arfer, a thramwyo ar hyd llwybrau sydd yno'n barod neu wneud rhai newydd rhwng y coed, a phan fydd yr ych yn dychwelyd nid yw'n syndod yn y byd iddo gymryd a dilyn yr union lwybrau hynny drachefn. Digon prin y medrwn ni ddibynnu ar geffyl i wneud rhywbeth felly. Tuedda ceffyl i fod yn fwy nerfus ac yn barotach i ddychryn ac o'r herwydd nid yw mor ddeallus â chi neu ych. Ond ni fedraf ddweud ei fod yn dwp ychwaith.

Tebyg yw'r gwahaniaeth rhwng ych a cheffyl ag sydd rhwng ci a chath. Y mae cath yn gyfrwys ond greddf sydd i'w gyfrif am hynny: nid yw cath yn deall ac yn rhesymu a thuedda i fynnu ei ffordd ei hun a pheidio â bod yn awyddus i fodloni ei meistr. Y mae ci yn hollol wahanol. Y mae ci yn dyheu am gael bodloni'r meistr ac os rhoddwch chi ar ddeall i gi ei fod o wedi gwneud y peth iawn, y mae o'n sicr o'i wneud o wedyn hefyd. Y mae'n haws dysgu ci na dysgu cath yn fy marn i.

Cofiaf anfon gast ddefaid i symud gyr o ddefaid un tro. Roedd gwynt cryf iawn ar y pryd ac nid oedd fy llais yn cyrraedd iddi hi glywed a chael cyfarwyddiadau gen i, felly roedd hi ar ei phen ei hun. Roedd yn ofynnol i mi fynd i gyfeiriad arall i chwilio am ragor o ddefaid ac fe'i gwyliais am dipyn wedi mynd allan o'm cyrraedd a gwelwn ei bod hi'n cyfeirio at y tŷ a oedd tua thair neu bedair milltir oddi wrthym. Meddyliais ar y pryd y buasai'r ast efallai'n blino gyrru'r defaid ac yn dychwelyd i chwilio amdanaf. Welais i mo'r ast wedyn hyd nes i mi ddychwelyd adref. Roedd hi wedi gosod y defaid i mewn yn y gorlan ac yn gorwedd wrth y glwyd.

O hynny ymlaen, pan fyddwn i angen cael defaid i'r gorlan, doedd dim angen i mi fynd â hwy yno fy hun. Rhoddwn gyfarwyddiadau iddi hi i gychwyn am adref. Pan gyrhaeddwn innau rai oriau'n ddiweddarach, byddai'r hen ast – Fraulein oedd ei henw – yn gorwedd yn fodlon wrth y glwyd a'r defaid yn y gorlan.

Nid dyna'r unig enghreifftiau o gyfrwystra'r ast hon. Nid oedd y paith yn gaeëdig yr adeg honno a phob rhyw bythefnos byddem yn hel y praidd at ei gilydd o fewn cwmpas o ryw chwe neu saith milltir. Y ffordd hwylusaf fyddai i ddau ohonom gymryd ochr ogleddol y dyffryn ac anfon y defaid i lawr o'n blaenau, a dau arall i wneud yr un peth o'r ochr ddeheuol. Wedi cyrraedd cynefin y defaid ar y gwaelod deuem yn ein holau drachefn ac ail-wneud yr un gwaith yn ôl i gyfeiriad y corlannau – gyrru'r defaid i lawr o'n blaenau, a dau arall i wneud yr un peth o'r ochr ddeheuol, a gosod dyn i lawr yn y gwaelod i ofalu dod â'r ddiadell ar hyd gwaelod y dyffryn.

Un tro ni ddaeth y dyn a oedd i fod i ofalu am y gwaith

ar lawr y dyffryn yn ôl ei addewid. Bu raid i minnau geisio ymgodymu â'r gwaith hebddo ac wedi i mi geisio dod i lawr at y ddiadell, yna dychwelyd i hel y bryniau, a dychwelyd yr eildro at y ddiadell ac wedyn yn ôl i fyny i ben y bryniau, yr oedd fy ngheffyl yn blino. Ond yn rhyfeddol sylweddolais fod yr ast wedi dechrau hel y defaid ar lawr y dyffryn ar ei phen ei hun. Fel y gogwyddwn i'r defaid i lawr o'r bryniau deuai hithau yno i'w cyrchu at y ddiadell. Gwelwn ei bod yn gwneud yr un modd â defaid fy nghydweithiwr ar ochr arall y dyffryn. O hynny ymlaen nid oedd angen gwas arnaf ar lawr y dyffryn, roedd yr hen ast yn gwneud y gwaith. Roedd hynna'n enghraifft o gyfrwyster. Roedd hi'n beniog. Ond nid pob ci sy'n beniog.

Roedd gennyf gi arall – Ceishi. Ci hela ydoedd a gallai yntau ymresymu. Pan ddeuai rhywun dieithr at y tŷ fe'i drwgdybiai hyd nes y byddwn i wedi siarad ac ysgwyd llaw ag ef. Unwaith y gwnawn i hynny gorweddai'r ci yn fodlon braf wrth fy ochr.

Cofiaf un diwrnod, a ninnau newydd gael *siesta* – sef yr arfer o fynd i orwedd am awr neu ddwy ar ôl cinio ar dywydd poeth – i mi godi a chymryd 'tot o fati' (*mate*) a gwelais yr hen gi'n cerdded yn aflonydd o flaen y tŷ. 'Beth sy'n bod ar y ci yma?' gofynnais i mi fy hun. Dyma fi allan trwy'r drws. O flaen y tŷ roedd poncen. Dyma hen wraig a gwialen yn ei llaw yn codi ar ei thraed yn y fan honno gan fygwth Ceishi. 'Wac, wâc,' cyfarthodd yntau gan y gwyddai o'r gorau nad oedd yr hen wreigan i fod yn y fan honno a bod ganddi wialen yn barod i'w fygwth, a phan ddois i allan o'r tŷ roedd yn barod i'w rhuthro. Roedd y ci hwn yn sicr yn gallu gofalu amdanaf a gallai daflu tarw ifanc â'i draed i fyny yn ogystal.

Ceir hanesyn diddorol am gyfrwystra ci gan ŵr o'r enw Madtsen. Roedd yn dipyn o fardd ac yn fy meddiant y mae rhai o'i ysgrifau am fywyd ym Mhatagonia. Un tro, ger mynydd Fitzroy yn yr Andes roedd hi'n niwl trwchus, fel y digwydd yn yr Andes ar adegau o'r flwyddyn. Roedd ef a chyfeillion iddo yn dod ar hyd y ffordd ond roedd yn rhaid rhydio'r afon. Ni ellid gwneud hynny ond mewn un man yn unig ond methent yn lân â dod o hyd i'r fan honno. Yno y buont yn troi ac yn trosi yn ôl ac ymlaen a'r nos yn prysur gau amdanynt. Dechreuasant anobeithio am gyrraedd adref ond yn sydyn clywsant gi'n cyfarth yn ddi-baid. Aethant ato, yna aeth o'u blaenau yn groes i'r rhyd ac wedi cyrraedd yr ochr draw cyfarthodd arnynt wedyn. Fe'i dilynasant oddi yno a chyrraedd adref yn ddiogel, diolch i'r hen gi hwnnw.

Dyma enghraifft arall o gi'n gwneud pethau rhyfedd. Âi teulu o ardal Bryn Gwyn, Dyffryn Camwy i'r capel ers talwm ac âi Carlo'r ci efo nhw. Gadewid ef gyda'r ceffylau y tu allan i'r capel, ond am iddo unwaith fynd i ymladd â chi arall nid oeddent yn fodlon i'r ci fynd i'r capel a dechreuasant ei rwymo a'i adael gartref ar fore Sul. Wedi gwneud hynny am Sul neu ddau, ni fyddai golwg o'r ci pan ddeuai hi'n adeg ei rwymo. Aethant rhagddynt i'r capel ac wedi cyrraedd pen y daith gwelsant fod y ci yno o'u blaenau. Y cam nesaf oedd ei rwymo ar nos Sadwrn ond cyn hir dechreuodd ddiflannu cyn iddynt gael gafael arno ac fe'i ceid wedyn yn disgwyl amdanynt wrth y capel. Y dirgelwch oedd sut y gwyddai mai dydd Sul ydoedd ac nid dydd Sadwrn? Yn fuan wedyn cychwynasant ar daith i fyny i'r Andes a'r ci efo nhw. Yn rhywle tua Dôl y Plu collwyd y ci. Nid oedd sôn amdano yn unman. Cawsant ei hanes yn ddiweddarach ac fel hyn y bu. Nos Wener ydoedd. Ar y bore

Sul wedyn fe'i gwelwyd wrth y capel wedi diffygio – pellter o dri deg lêg neu oddeutu hanner can milltir – ac roedd wedi cymryd diwrnod a dwy noson i gyrraedd yno.

Enghreifftiau o gŵn yn meddwl yw'r rhain, yr hyn nas ceir mewn ceffyl. Gellir arfer ceffyl i wneud rhywbeth, gellir ei ddysgu i fynd ar hyd y ffordd ei hunan a rhoi tamaid o fwyd yn wobr iddo wedi iddo gyrraedd. Gellir dysgu triciau iddo yn yr un modd.

Y Tywydd

Pan gyferfydd dau Ladinwr â'i gilydd dyma'r math o gyfarchiad a fydd ganddynt:

'Sut wyt ti?'

'Iawn, diolch. A thithau?'

'Iawn, diolch.'

'Be sy' gen ti i'w ddweud?' neu 'Dydd Da.'

'Dydi o ddim mor dda.'

Pan gyferfydd dau Gymro â'i gilydd yma yn y Wladfa, fodd bynnag, y tywydd a gaiff y lle blaenaf fel rheol. Er hynny, tywydd cymedrol a gawn ni yma yng Nghwm Hyfryd ar hyd y flwyddyn fel arfer a'r tymheredd heb fod yn rhy oer yn y gaeaf nac yn rhy boeth yn yr haf. Eto fyth cawn dywydd eithriadol. Rhwng mis Medi a mis Hydref cawn haul a glaw a chyflawnder o dyfiant. Ar y gwastatir gadawn i'r gwair dyfu hyd at fis Rhagfyr ac fe'i torrwn yn niwedd mis Rhagfyr a mis Ionawr – sy'n cyfateb i Fehefin a Gorffennaf yng nghyhydedd y Gogledd. Anaml iawn y bydd hi'n glawio ym mis Ionawr a mis Chwefror yma felly nid oes rhaid rhuthro i gael ein gwair i ddiddosrwydd; yn wir, ychydig iawn o'r tywydd llwyd, mwll sydd mor nodweddiadol o'r Hen Wlad a geir yma. Pan gawn ni law yma, glaw trwm fydd hwnnw ac fe'i dilynir gan awyr las ddigwmwl a fydd yn para am wythnosau bwygilydd. Nid ydym ymhell iawn o'r Tawelfor ac o'r herwydd ni ddioddefwn aeafau caled fel rhai Canada a'r Unol Daleithiau. Cawn rew ysgafn am ryw ddeufis a bydd pythefnos ohono'n weddol galed pan fydd y tymheredd yn gostwng i rhwng 5 a 7 gradd canradd o dan y rhewbwynt. Bydd yr eira a gawn yn dadmer yn weddol gyflym ond yr hyn a ofnwn ni yma yw iddi fwrw eira, yna rhewi a bwrw rhagor o eira am ei ben, gan mai dyma'r adeg yr aiff hi'n galed ar yr anifeiliaid. Er mai byr fydd parhad yr eira, fodd bynnag, gwelwn gopaon bythol-wynion mynyddoedd yr Andes trwy ffenestr y gegin – Gorsedd y Cwmwl, Mynydd Llwyd a'r Graig Goch, ac yn y pellter hefyd gwelwn faes sgïo La Hoya sydd y tu draw i dref Esquel, eithr chwarae drud yw sgïo ac nid oes yr un ohonom ni'n ei ymarfer erbyn hyn, er i'r plant gael hyfforddiant yn y gamp yn yr ysgol yn Barlioche.

Yn nechrau'r 1950au cofiaf deithio gyda chyfaill o Ryd yr Indiaid i Drelew. Wedi mynd i'r *Estancia la Primavera* yr oeddem ond cael ein cau yno gan rew ac eira a fu ein hanes. Cyn gynted ag y dechreuodd feirioli'r mymryn lleiaf dyma adael y gweision ar eu pennau eu hunain ac i ffwrdd â ni, ond pur drafferthus a fu'r siwrnai gan fod trwch o rew yn cuddio'r tyllau a geid yn y ffordd. Torrodd y lori ar y ffordd ac wrth geisio mynd i'w pherfedd sylwais fod yr haearn y cyffyrddais ag ef yn wlyb a theimlwn fy llaw yn glynu wrtho. Digwyddodd yr un peth i'm cyfaill ond llwyddasom i ollwng ein gafael a sylweddoli mai wedi rhewi yr oedd yr haearn ac i ninnau fod yn ffodus na thynnwyd mo grwyn ein dwylo. Gorfu i ni gysgu yn y lori'r noson honno, dan orchudd o grwyn, a rhoi rhagor o grwyn dros y lori a'i thanio hi bob rhyw awr rhag iddi rewi'n glap. Roeddem ni'n ddigon blin i gysgu am ryw hanner awr ar y tro a throi drosodd wedyn i gysgu am blwc arall. Yn y bore daeth rhyw Samariad heibio a'n cynorthwyo. Cyraeddasom Drelew o'r diwedd lle y bu'n un deg wyth gradd dan y rhewbwynt y noson cynt. Gan mai hanner y ffordd i fyny'r Andes y treuliasom y noson honno, gellir dychmygu ein bod ni wedi bod mewn tymheredd a oedd o leiaf bum gradd yn is na hynny.

Pan gyrhaeddodd yr Hen Wladfawyr, gaeafau celyd iawn a gawsant. Yr adeg honno byddai Afon Camwy'n rhewi o dro i dro. Yn fy oes i, ni welais i erioed mo'r afon yn y cyflwr hwnnw ond cofiaf orfod mynd allan i dorri'r rhew er mwyn i'r anifeiliaid gael dŵr a chofiaf chwarae ar y rhew pan oeddwn yn blentyn. Pan ddywedaf hynna wrth fy mhlant edrychant arnaf mewn syndod sydd gystal â dweud fy mod i'n rhaffu celwyddau. Ni chawsant hwy erioed mo'r profiad. Y mae hyn yn dangos, fe dybiwn i, fod y tywydd yn newid.

Tuedda'r hafau yma i fod yn sych ac yn wyntog ac er bod y tymheredd yn uchel bydd y gwynt yn peri iddi fod yn ddymunol iawn. Anaml iawn y cawn ni ddiwrnod tawel o wres. Bryd hynny cawn stormydd o fellt a tharanau.

Un tro cofiaf was yn dod â dafad ataf. 'Mae'r ddafad hon wedi marw a does gen i ddim syniad pam,' meddai wrthyf.

'Ble cest ti hi?'

'Wrth droed un o'r bryniau. Roedd hi wedi rowlio i lawr,' meddai.

Wrth ei harchwilio sylwais ei bod wedi llosgi ar hyd ei dwy goes. Roedd mellten wedi ei tharo ar ei chorun yn ôl pob golwg gan losgi rhes ar hyd ei chroen o dan y gwlân. Roedd y gwlân yno'n gyfan ond pan godais ef roedd fel petai wedi ei farcio â haearn poeth.

Dro arall, yn dilyn storm arw iawn, dywedais wrth grwt o hogyn a oedd o gwmpas y tŷ – doedd gen i ddim gwas ar y pryd – 'Cymer y ceffyl yna a dos ar hyd y ffens i weld a yw popeth yn iawn, rhag ofn fod y dŵr wedi ei malu hi neu rywbeth.'

Dychwelodd toc gan ddweud wrthyf, 'Maen nhw wedi malu'ch ffens chi'n yfflon mân.'

'Wedi malu'r ffens?!'

'Ydyn, mae'r weiren wedi cael ei malu.'

'Oedd 'no drywydd?'

'Welais i ddim byd.'

Cyfrwyais innau'r ceffyl a mynd draw yno. Y peth hynod oedd bod yno fryniau uchel o bopty i'r ffens a bryn bach yn y canol ac ar y bryn hwnnw yr oedd postyn a oedd wedi cael ei hollti fel petasai rhywun wedi ei daro â bwyell. Roedd y gwifrau o'i gwmpas wedi toddi ac wedi diferu i'r llawr. Euthum ymhellach ar hyd y ffens ac wedi mynd dros y bryn ac yn fy mlaen at fryn bach arall gwelwn ddafad â'i phen o dan y ffens ac oen yn glòs wrth ei hochr. Roedd y ddau yn farw gelain. Roedd mellten wedi mynd ar hyd y gwifrau ac wedi eu lladd yn y fan a'r lle.

Problemau

Daw bron pob newid, heb reolaeth drosto, â phroblemau eraill yn ei sgil, a dyna efallai sail ein cwynion ni yma yn y Wladfa ar hyn o bryd, sef newid system. Pan gyrhaeddodd y Cymry draw gyntaf, cynhyrchu bara oedd y nod – a rhaid cael gwenith cyn y ceir bara. Digwyddodd yr un peth wedyn pan aeth y Gwladfawyr i fyny i'r Andes. Daeth cynhyrchu grawn yn hollbwysig. Roedd gennym ni felinau i lawr yn Nyffryn Camwy ac i fyny yn yr Andes ac roedd gennym ni ddigon o flawd dros ben i'w yrru i lawr i'r de. Yn ddiweddarach fe gaewyd y melinau. Ni wn yn iawn beth oedd y rheswm am hynny ond mae'n debygol i'r ffyrdd da a'r trenau mewn rhai ardaloedd fod yn rhannol gyfrifol am y ffaith nad oes pwrpas inni dyfu gwenith bellach, gan ei bod yn rhatach i brynu'r blawd. Prin y mae'n werth inni dyfu tatws ychwaith yn awr oherwydd cyn gynted ag y cawn ni gynhaeaf da o datws daw cyflawnder ohonynt o'r gogledd. Cawn domatos aeddfed o'r gogledd trwy'r flwyddyn gron ac felly waeth inni heb â'u tyfu hwythau. Cawn lysiau o bob math hefyd o'r un lle, yn letys ac yn gabaits a'r cyfan yn weddol rad.

Mae'n wir ein bod yn cael ein hannog i dyfu coed â'r grantiau a geir gan y llywodraeth a manteision cyffelyb. Ceisiwn wneud hynny ar y tir uchel a chadw tir y dyffrynnoedd i gynhyrchu porfeydd neu rawn a phethau sy'n angenrheidiol ar gyfer ein hanifeiliaid, ond mae trin y tir ar y llechweddau yn waith anodd.

Peth arall a allai fod o fawr fendith i ni ond sy'n ymddangos yn anodd iawn ar hyn o bryd fyddai cael yr anifail bychan a elwir yn afanc i'n cynorthwyo i atal nentydd a dyfroedd rhag mynd yn rhy ddyfnion. Gellir gweld mewn rhai mannau yng Nghwm Hyfryd ac ar y paith fod yr holl bridd wedi ei olchi ymaith a'r ffosydd wedi eu tyrchu'n ddyfnion. Petai'r afanc yn bodoli ar y cyrsiau dŵr, yna fe ofalai ef na ddigwyddai hyn. Profwyd hynny eisoes yng Ngogledd America. Gorfu iddynt ddod â'r afanc yn ôl i'w hen gynefin yno. Daw manteision o hyn am fod yr afanc yn naturiol yn creu argaeau a llynnoedd sydd felly yn rheoli'r dŵr. Mae'n arferol canfod fod yn hen gynefin yr afanc ddyfnder mawr o bridd a bod hwnnw'n bridd da a chystal â'r gorau a geir yn unman.

Problem arall yng nghyffiniau'r Andes yw'r planhigion o wahanol rywogaethau sydd yn cyrraedd yno ac yn datblygu'n bla. Mae'r rhosyn gwyllt yn enghraifft dda o hyn. Datblyga hwn yn dwmpathau anferth gan beri ei bod yn anodd onid yn amhosibl i anifeiliaid bori rhyngddynt. Yng nghyflawnder yr amser gordyfant nes gorchuddio caeau cyfan ac anodd iawn iawn yw eu difa. Gobeithiwn, yn wir, y llwydda rhyw ddatblygiad gwyddonol neu bryfetyn neu glefyd hyd yn oed i goncro a difa'r pla hwn.

Un arall sy'n creu trafferthion yw'r ysgallen fawr gref a gyrhaeddodd o rywle gan beri trafferth mawr i'r ffermwyr erbyn hyn.

Mae un llysieuyn arall wedi datblygu'n bla gwirioneddol, a hwnnw yw 'Llysieuyn Owen C' fel y caiff ei adnabod. Gŵr bonheddig yn byw yn y Wladfa oedd Owen C. Jones ond a hanai o Benllyn, Meirionnydd. Roedd yn frawd i Llew Tegid. O Awstralia y daeth i'r Wladfa gan ddod â hadau efo fo, rhai y tybiai ef y buasent o fudd i adar. Yng Nghymru y bu farw Owen C. Jones ac fe'i claddwyd ym mynwent Llanuwchllyn.

Llysieuyn a dyf i ryw droedfedd o uchder ydyw hwn bellach â swp o flodau gwynion crynion mân ar flaen pob cangen fechan. Mae ei ddeilen fwy na heb yn grwn ac o faintioli'r feillionen ond ei bod yn llwyd. Prin iawn yw'r gwenyn a'r pryfetach sy'n hel ato ac os rhowch ddarn o'i wreiddyn dan eich dant a'i gnoi fe gewch ei fod yn tueddu i fod yn boeth a'i flas yn debyg i radish. Mae ei wreiddiau yn hynod o wydn ac yn treiddio'n ddwfn i'r ddaear. Y bywyd sy'n aros yn y gwreiddiau hyn yw ei gryfder. Gellir hyd yn oed ei losgi a'i lwyr ddifa ar yr wyneb ond ymhen ychydig wythnosau daw yn ei ôl wedyn ac yn neilltuol felly yn y gwanwyn. Os caiff wanwyn ffafriol fe dyf yn gryf iawn gan dagu pob math o borfa a llysiau.

Mae'r llysieuyn hwn wedi lledaenu cymaint, yn enwedig yn y Dyffryn Isaf, nes ei fod bellach wedi difetha ffermydd cyfain. Mae'n tyfu mewn gwlybaniaeth neu mewn sychder a gall wrthsefyll unrhyw amgylchedd bron. Bob tro y'i torrir daw yn ei ôl wedyn yn gryfach ac y mae bellach i'w weld mewn llawer lle ar y paith ac wedi cyrraedd i fynyddoedd yr Andes. Lluniodd y Lladinwyr un enw twt iddo trwy gyfuno'r Owen a'r C. (C. Saesneg) a'i alw'n *owensi* neu *wansi*.

Er ei fod yn peri llawer o drafferth ar y paith ac yn yr Andes, y ffermydd hynny sydd i lawr yn Nyffryn Camwy a ddioddefodd fwyaf. Roedd angen dyfrhau tir y ffermydd i lawr yno ac roedd hynny'n fanteisiol i'r planhigyn. Yn wir, aethpwyd ati o fwriad i geisio gorddyfrio er mwyn cael gwared â'r llysieuyn ond ofer fu pob ymgais; roedd y dŵr yn cario'r hadau ac yn eu gwasgaru dros arwynebedd llawer ehangach. Ar ddiwrnod poeth pan fyddai'r dŵr yn cynhesu byddai'r *owensi* yn cael ei losgi ond yn ddiweddarach, pan suddai'r dŵr o'r golwg i'r ddaear, yr unig lysieuyn â bywyd ynddo fyddai hwn. Byddai pob llysieuyn arall wedi ei lwyr ddifa.

Ceisiwyd hefyd ei ladd trwy ei atal rhag cael dŵr ond ni thyciai hynny ychwaith gan ei fod yn medru gwrthsefyll sychder yn ogystal. Y mae'r dulliau a'r arferion o gario bwyd i'r anifeiliaid hynny sydd allan yn y caeau a'r ffaith bod ambell fyrnen wedi disgyn o lwyth ar y paith wedi bod yn foddion i gario'r hadau yma ac acw, ac y mae bellach wedi ei wasgaru dros yr holl wlad. Yn wir, erbyn heddiw, wedi iddo hadu a blodeuo, y mae'r anifeiliaid wedi dechrau ei fwyta. Fe fu adeg pan na wnâi yr un anifail ei gyffwrdd i lawr yn y Dyffryn. Bwytaent y borfa a'r chwyn a oedd o'u cwmpas a'i adael yntau ar ôl, a byddai hwnnw wedyn yn tyfu ac yn blodeuo.

Y mae tân hefyd wedi peri llawer anhawster ac anhwylustod a cholledion ar hyd y blynyddoedd Gan fod y wlad mor goediog a'r hinsawdd mor sych a phobl newydd a dibrofiad yn cyrraedd yno, roedd yn hawdd iawn iddynt wneud y camgymeriad o gynnau tân bychan i ryw bwrpas hollol ymarferol neu hyd yn oed i daflu ychydig o ludw poeth ac i hwnnw wedyn fod yn ddigon i gychwyn tân mawr a difäol. Achosodd hynny danau mawrion iawn yn y blynyddoedd cyntaf wedi i'r Cymry ddod i Gwm Hyfryd ac fe losgwyd rhan helaeth o'r wlad yn fuan iawn. Cafodd y darn tir i gyfeiriad Esquel ei ddifa yn y modd hwn.

Fe sonia John Daniel Evans yn ei ddyddiadur, pan gyfeiria at gyfnod archwilio'r Wladfa, am y drafferth a gaent i ddod o hyd i borfa i'w geffylau oherwydd y difa hwn gan y tân a rhaid fyddai dibynnu ar ambell lannerch fechan neu ynys a fyddai wedi ei harbed rhagddo. Roedd y tanau cynharaf hyn er hynny yn ffafriol iawn i glirio'r tiroedd a bu trin a gweithio'r rheiny dipyn yn haws.

Y mae tanau diweddarach hefyd wedi difa coedwigoedd anferth ar lethrau'r mynyddoedd a gwelais innau danau mawrion yn ysu'r mynyddoedd hyn ac yn llosgi am wythnosau. Effeithia hyn ar y dyfroedd. Meddyliwch am eira mawr trwchus yn disgyn ar goedwig a hwnnw wedyn yn suddo'n araf i'r ddaear. Gan na all y gwynt na'r haul gyrraedd ato yng nghysgod y coed cymer amser maith i doddi a rhed wedyn yn araf i lawr i'r Dyffryn. Pan losgir y coed, fodd bynnag, bydd yr eira yn toddi'n gyflym, ac os ceir cawod o law arno cynhyrchir llifogydd a gorlifiadau a fydd yn llifo i lawr i'r Dyffryn.

Yn ardaloedd yr Andes nid erys y dŵr yn hir. Gallwn gael gorlif am ddiwrnod neu ddau ond ar ei ôl gadewir rhychau dyfnion yn y tir. Yn y Dyffryn Isaf fodd bynnag – tua Threlew, Gaiman, Bryn Gwyn, Bryn Crwn, Drofa Dulog a Drofa Gabaits – bydd y dŵr yn aros ac yn difetha holl ymdrechion y ffermwyr.

Problem arall yn y Dyffryn Isaf yw gormod o halen. Yn yr Andes, lle y ceir digon o law i olchi'r halenau, nid yw honno'n broblem – yn wir, *diffyg* halen sydd yn yr Andes. I lawr yn Nyffryn Camwy, pan oedd yr afon yn ei chyflwr naturiol, fe orlifai ac wedyn fe ostyngai ei dyfroedd yn isel iawn ac weithiau prin y llifai dŵr ar hyd wely'r afon o gwbl. Mewn cyflwr felly tueddai dŵr tanddaearol y Dyffryn i redeg i gyd i'r afon. Ond wedi i'r Cymry gyrraedd a phlannu coed helyg ar ei glannau, lleihaodd gwely'r afon. Yn ychwanegol at hynny y mae'r argae mawr a adeiladwyd ar yr afon yn cadw'r gorlifiadau draw ond y mae'n rhaid i'r argae hwn gadw'r afon sydd ar ôl yn gyson lawn hefyd a chan fod ei gwely wedi ei leihau y mae dŵr yr afon yn gyson uwch nag arwynebedd y Dyffryn. Mae hyn oll, a'r dyfrhau cyson sydd ar y tir hefyd, yn codi'r dŵr tanddaearol – a oedd yn isel ar ddechrau'r ugeinfed ganrif – erbyn hyn yn agos iawn i'r wyneb. Y mae hynny hefyd yn codi'r halenau sydd bellach yn lladd pob tyfiant. Ofnaf na fydd cyn hir ond ychydig leiniau o diroedd a fydd yn addas i'w ffarmio. Yn ôl a welaf i byddai'n ofynnol unioni'r afon ar hyd y Dyffryn i greu rhagor o rediad iddi – ac oherwydd ei hymdroelli igam-ogam, yn wir, y'i gelwid yn Afon Camwy (gyda'r ddwy elfen 'cam' ac 'wy'). Ond y mae hon yn broblem ddyrys iawn nid yn unig yn ein gwlad ni ond yng Nghalifformia, Awstralia, India, Pacistan, a nifer fawr o wledydd eraill tlawd a chyfoethog fel ei gilydd.

Adar

Yr estrys (*Rhea*) yw ein henw ni ar aderyn mwyaf Patagonia. Y mae iddi ddwy rywogaeth, yr un sydd ym mharthau gogleddol Afon Ddu, a'r un sydd ym mharthau deheuol yr afon honno. Y mae'r naill (*Rhea americana*) yn fwy na'r llall (*Rhea darwinii*) ac o bosibl mai porfa ragorach y gogledd sydd yn rhannol gyfrifol am hynny. Credaf mai'r fechan lwydfrown, folwen, sydd ymysg y lleiaf o hil yr estrysod, yw'r un sy'n gyfarwydd i mi.

Y mae'r ddwy yn llai nag estrys Affrica ac yn wahanol mewn amryw o nodweddion. Y prif wahaniaeth yw mai dau fys yn unig sydd ar droed estrys Affrica pryd y ceir tri ar droed estrys America.

Yr estrys a welir ar y paith ym Mhatagonia (Rhea Darwini)

Symudant yn gyson ac ni fyddant yn aros llawer yn yr un lle oddigerth pan fyddant yn nythu. Y pryd hwnnw bydd y ceiliog yn ymladd â cheiliogod eraill am ranbarth iddo'i hun ac yn ceisio casglu'r ieir ato. Bydd yn galw arnynt â math o chwyrniad isel heb fod yn annhebyg i sŵn peiriant modur, a hynny yn unig ar adeg nythu. Rhyw dipyn o dwll wedi ei grafu yn y llwch yng nghysgod twmpath o ddrain isel fydd y nyth fel rheol. Bydd yn ceisio hudo'r ieir i ddodwy yno ond ni fydd yn llwyddo bob amser gan y ceir wyau weithiau ar chwâl ar y paith, heb yr un nyth yn agos atynt. Dro arall fe'u ceir yn weddol agos.

Cuddia ei nyth yn hynod o ystrywgar ac os y'i darganfyddir bydd yn ei adael ac yn malu'r wyau gan amlaf. Droeon eraill, os bydd rhywun wedi bod yn rhy agos iddo, aiff ymaith heb falu'r wyau ond ni ddychwel mwyach. Y ceiliog ei hunan a fydd yn eistedd ar yr wyau a diflanna'r ieir o'r gymdogaeth wedi iddynt eu dodwy. Yn arferol bydd yn ceisio casglu rhyw ddeg ŵy ar hugain ond hanner hynny a gaiff gan amlaf. O dro i dro ni cheir ond rhyw bedwar neu bump o gywion yn unig ac anodd yw dirnad beth sydd i'w gyfrif am hynny oni bai i'r ceiliog fethu â'u deor. Bydd ar y nyth am oddeutu pum wythnos a thasg anodd iawn fydd ei weld er mynd yn agos iawn ato gan ei fod yn unlliw â'r twmpathau. Weithiau awn ni neu ein cŵn yn uniongyrchol i gyfeiriad y nyth yn ddiarwybod i ni a chyfyd yntau a dianc. Os digwydd i ni fod yn weddol agos i'r nyth ceisia dynnu ein sylw trwy agor ei edn a rhedeg fel petai'n gloff. Gall ein harwain ymhell iawn felly a'r cŵn ar ei warthaf gan ei fod yn aderyn cyflym iawn. Gwelais estrysod yn rhedeg yn gynt na'r un ci ond byddent wedi cael eu dychryn yn arw i wneud hynny. Golygfa hynod iawn yw eu gweld yn brasgamu felly, eu pennau a'u gyddfau'n ymestyn o'u blaenau a'r traed bob yn ail yn cyrraedd i fyny at y pen ac yna yn ôl yn wastad â'r gynffon. Buaswn yn tybio fod eu camau cymaint â phum metr o hyd pan fyddant yn eu hanterth. Weithiau bydd yr estrys yn rhy chwareus neu ymffrostgar i geisio rhedeg yn gyflym a thro arall bydd yn rhy wan i fedru rhedeg. Pan ddigwydd hynny llwydda'r cŵn i'w ddala, ond pan fydd yn dew ac mewn cyflwr da, gall deithio fel mellten.

Y mae ei gig yn flasus a'i blu yn werthfawr felly ni chaiff lonydd i gynyddu rhyw lawer, ond os bydd y tymor yn ffafriol llwydda'r ceiliog i ddeor nifer fawr o'r wyau ac fe'i gwelir â llu o gywion o'i gwmpas. Pan wêl berygl, rhed tuag ato i dynnu sylw'r ymosodwr ato'i hun er mwyn diogelu'r cywion. Os mai un ci defaid neu gi go fychan fydd y gelyn, fe ymosoda arno. Wedi iddo ddychwelyd bydd yn galw ar y cywion â chwibaniad hir, main, digon tebyg i'r hyn a wna bachgen neu ddyn wrth alw ar ei gi.

Yn ogystal â'i gig, mae ei wyau hefyd yn faethlon iawn a dywedir bod un ŵy estrys yn cyfateb i ddwsin o wyau ieir. Yr oeddent yn rhan helaeth o ymborth y brodorion. Un dull o'u coginio yw eu rhostio. Gwneir hyn trwy wneud twll yn eu blaen a chymysgu'r cynnwys â thamaid o bren neu lwy; yna, gan sicrhau fod y twll yn uchaf, wrth gwrs, eu gadael mewn lludw a golosg poeth. Yn Rhyd yr Indiaid y profais i ŵy estrys am y tro cyntaf, a minnau yn grwtyn deg neu un ar ddeg oed. Cofiaf y brodorion yn dangos i mi sut i'w ddarparu. Rhoddwyd siwgr ynddo hefyd i mi – ond gormod o bwdin a daga gi; bwyteais ormod ohono a bûm yn sâl iawn ar ei ôl.

Wyau melynwyrdd golau ydynt pan fyddant yn ffres ac ymhen amser byddant yn gwynnu yn yr haul. Byddwn yn amau'r ŵy gwyn ond os bydd rhyw wawr felynwerdd arno, gwyddom ar unwaith fod gennym ni ŵy da i'w fwyta. Gellir ei goginio mewn unrhyw fodd er mai aros yn ddyfrllyd a wna'r gwynnwy yn hytrach na chaledu fel ŵy iâr, ac o'r herwydd y mae'n ardderchog i wneud cwstard.

Bu cryn hela ar yr estrys ar hyd yr oesoedd ond yr oedd un aderyn na fyddai'r brodorion byth yn ei hela, sef yr alarch (yr alarch gyddfddu, *Cygnus nigricollis*). Fe'i hystyrient yn aderyn sanctaidd. Y mae cyrff elyrch Patagonia yn glaerwyn ond y mae'r gyddfau a'r pennau yn hollol ddu. Y maent yn hardd a gosgeiddig dros ben. Gallant hedeg ymhell iawn a phan fyddant yn yr awyr clywir eu hedn cryfion yn curo'r gwynt o gryn bellter. Symudant tua'r de neu'r gogledd ar wahanol adegau o'r flwyddyn. Fel rheol bydd alarch yn nythu ym mrwyn y llynnoedd. Ni welais yr un nyth yn agos ond mi gredaf mai rhyw bedwar ŵy, a'r rheiny'n wynion, a ddodwya'r alarch, a gwae'r sawl a ddaw yno i browla – gall daro â'i edn yn hynod o gryf.

Rhoddir pris ar ei groen yntau hefyd erbyn hyn ac mae'n ddrwg gennyf ddweud ei fod wedi prinhau yn fawr iawn ers cyfnod y brodorion cynnar.

Y mae ein gwyddau gwylltion yn ddigon tebyg o ran ffurf i'r gwyddau a fegir ar ffermydd yng Nghymru ond eu bod yn llai ac yn ysgafnach. Browngoch â smotiau duon, ei chefn yn ddu a blaen ei hedn yn ddu a gwyn yw'r iâr tra bo'r ceiliog yn ddu tua'r cefn, ei edn yn ddu a gwyn a'r plu blaenaf yn ddu, a'i frest yn wen a smotiau duon arni. Mae'r fron fel baner wen yn sicr o fod yn rhan o amddiffyniad naturiol y ceiliog, a phan fydd yr iâr yn gori bydd yntau'n torsythu o'i chwmpas i lygad-dynnu unrhyw elyn a fyddo'n ddigon eofn i fentro ati. Nythant heb fod nepell oddi wrth afon neu lyn, mewn twmpathau o ddrain neu wair, a llwyddant i guddio'r nyth yn gyfrwys iawn. Mae'r wyau ychydig yn fwy na wyau ieir ac yn fwytadwy iawn.

Wedi deor yr wyau fe arweinir y cywion ar unwaith i'r dŵr, allan o gyrraedd llwynogod, a chathod gwylltion a ffwlbartiaid, ond gan fod y creaduriaid hynny'n brin erbyn hyn cynyddodd y gwyddau'n ddireol.

Y mae eu plu yn werthfawr. Yn y blynyddoedd a fu fe'u cedwid i wneud clustogau ond aeth hynny, fel llawer o bethau eraill, i ddifancoll. Ni chredaf fod neb yn gwneud hynny heddiw-ddydd.

Symuda'r gwyddau gyda'r tymhorau ac os bydd y gaeaf yn un caled fe'u gwelir i fyny yn nhalaith Buenos Aires yn y gaeaf yn codi'r borfa a'r gwenith a heuir ar raddfa fawr tua diwedd yr haf ac fe saethir llawer bryd hynny. Flynyddoedd yn ôl cymerid awyrennau bychain i'w gyrru'n ddigon pell i'r môr ond erbyn heddiw credaf eu bod wedi dod i arfer â'r awyrennau ac amheuaf a yw'n bosibl gwneud hynny bellach. Ni chlywais sôn am y peth yn ddiweddar. Yn yr haf ciliant wrth y miloedd tua'r de i lynnoedd mawr yr Andes, lle y byddant yn nythu ac yn magu eu miloedd ar filoedd o gywion braf.

Gelwir y rhywogaeth arall yn wyddau Falkland (*Chloephaga rubidiceps*). Y mae'r ŵydd hon yn llai a'i lliw ychydig yn wahanol i'r un Batagonaidd fwyaf. Nid yw ceiliogod y Falkland hanner cyn wynned â'r rheiny.

Daw pobl o'r Unol Daleithiau yma i saethu gwyddau a chânt bob croeso i wneud hynny gennym ninnau gan eu bod yn bla erbyn hyn. Pe gadewid llonydd iddynt byddent wedi pori bob blewyn o borfa'r defaid.

Aderyn arall a berchir yn fawr gan y brodor yw'r

'fflamenco' fel y dywedwn ni yma, sef y fflamingo (*Phoenicopterus chilensis*) neu'r fflamgoch. Gyda'i big hir â rhesen binc arno a'i goesau cochion hirion gall fod yn aderyn hynod o dlws wedi iddo gyrraedd i'w lawn faintioli. Am y flwyddyn gyntaf bydd yn llwyd ac yna'n cochi ac yn mynd yn binc hardd drosto i gyd. Anaml y'i gwelir yn nofio nac yn cerdded ar dir sych, ond mae'n byw yn gyson yn nŵr y llynnoedd bas waeth beth fo'r tywydd. Fel rheol ni wna ond cerdded yn ôl ac ymlaen yn y dŵr gan godi'i goesau mawr hirion. Pan fydd yn rhewi'n galed dywedir y bydd yn symud yn gynt i gadw'r dŵr rhag rhewi o gwmpas ei goesau.

Gwna'r fflamenco ei nyth o fwd ac nid yw'n annhebyg i jwg llaeth heb ddolen. Credaf mai dau, neu o bosib dri, o wyau fydd ganddo ar y tro a phan fydd yn eistedd bydd yn gosod ei goesau heglog oddeutu'r nyth fel mai dim ond ei gorpws fydd yn gorffwys arno. Ar lannau llynnoedd neu ar yr ynysoedd lleidiog a geir ynddynt y gwelir y nythod hyn. Sylwais arno am oriau yn taro'i ben o dan y dŵr ac mae'n ddirgelwch i mi beth a gaiff yng ngwaelod y llynnoedd hyn gan nad oes yno ddim hyd y gwn i ond y llaid llwyd. Mae'n aderyn cryf a bydd yn ehedeg ymhell iawn hefyd ar adegau arbennig o'r tymor. Bydd yntau hefyd i'w glywed o bellter pan fydd yn ehedeg. Fe'i gwelir weithiau yn y môr ond nid yw'n or-hoff o hynny ar draethau geirwon Patagonia.

Cyn i'r fflamencos ehedeg casglant eu cywion yn dyrfaoedd mawr o gannoedd neu filoedd gyda'i gilydd, a golygfa fythgofiadwy yw gweld y llwydion a'r cochion – yr hynaf a'r ieuengaf – yn gymysg. Byddai pobl feiddgar yn manteisio ar y cyfle i'w lladd yn y cyflwr hwnnw, ond gwn am rai eraill a fyddai'n eu casglu i gorlannau i'w gwylio a sylwi arnynt, ac wedyn yn agor y glwyd a'u gollwng yn rhydd er mwyn iddynt gael dychwelyd i'w llynnoedd. Fe ddigwyddai hynny, fe wn, yn *Pampa de Agina*, rhan anferth o'r wlad sy'n fflat a llyn yn ei chanol sydd hefyd wedi ei amgylchynu â ffermydd mawr. Clywais fy mam yn sôn iddi hi weld y trigolion yn casglu miloedd o fflamencos i mewn i gorlan ac yna yn eu gollwng. Wn i ddim beth oedd pwrpas gwneud hynny a'r unig reswm y gallaf i feddwl amdano yw mai o ran cywreinrwydd, neu hyd yn oed er mwyn eu modrwyo.

Y mae chwid yn adar lluosog a chyffredin iawn ym Mhatagonia ac y mae iddynt laweroedd o rywogaethau na allaf fanylu arnynt. Hwyaden fach, fuan, â chynffon flaenfain a elwir yn *pintail* yw un ohonynt. Mae'n lluosog iawn a thuedda i ymosod ar y gwenithau a ddyfrheir a gwna gryn ddifrod iddynt. Cofiaf ffermwyr Dyffryn Camwy yn gorfod mynd â lampau yn y nos i'w cadw draw neu caent golledion mawr pan fyddent yn dyfrhau.

Y mae cig ac wyau'r chwid hyn oll yn fwytadwy iawn. Gallai'r brodor craff ddod o hyd i'r nythod yn fuan ac y mae'n debygol ei bod yn arferiad gan y chwid – er nad wyf i ddim wedi profi hynny – godi oddi ar y nyth ac ehedeg yn unionsyth i lyn a disgyn i'r dŵr. Pan welai'r brodor hyn yn digwydd gwyddai o ba gyfeiriad y daethai'r hwyaden ac elai'n ôl ar hyd y llinell honno a chaffai hyd i'r wyau bron yn ddi-ffael. Iddo ef nid oedd o bwys a oeddent yn ffres neu yn deor, fe fwytai'r cwbl – pan fyddai'r cyw yn fawr byddai cynnwys yr ŵy yn llai – llai o ŵy a mwy o gyw, a gwnâi'r naill neu'r llall ei dro ef.

Y betrisen fwyaf cyffredin yma yw'r betrisen lwyd a elwir fel arfer yn copetona (*Calodromas elegans*). Ystyr *copete* yw plu fel crib ar ei chorun a geill ei chodi i fyny yn dlws ryfeddol. Honno yw'r rhywogaeth fwyaf o ran maint a'r un fwyaf cyffredin ar wastadeddau Patagonia. Gall fyw am amser maith heb ddŵr a'i bwyd yw pryfed a blagur. Dodwya ryw ddeg neu ddwsin o wyau, rhai gwyrdd disglair, hynod o dlws. Mewn rhanbarth neilltuol bydd tair iâr yn ymgasglu i un ceiliog. Chwibanant ar ei gilydd eto yn debyg iawn i ddyn yn chwibanu ar ei gi ac fe'u clywir yn galw ar ei gilydd ar doriad gwawr pan fyddant yn deffro ac yn codi. Erbyn y prynhawn byddant wedi colli ei gilydd yn fynych iawn. Y maent yn ehedwyr cryf am ryw ddeucan llath ond wedyn y mae'n rhaid iddynt ddisgyn a rhedeg. Gŵyr y brodor hyn, ac wedi peri i'r petris ehedeg ryw deirgwaith, rhedant ar eu holau a'u dal.

Y mae'r adar hyn yn rhai hawdd iawn i'w dofi. Byddai Nain Berwyn yn eu magu gyda'r ieir a galwai arnynt fel y galwai ar yr ieir a'u bwydo.

Y mae'r betrisen foel – heb y crib – yn gochach o lawer ac yn byw ar diroedd uwch ar y mynyddoedd. Y mae honno'n fwytadwy iawn ond yn aderyn gwylltach o lawer ac yn wahanol i'r lwyd. Rwy'n barnu mai anodd iawn fyddai dofi'r math hwn. Y mae eu harferion a'u hwyau yn ddigon tebyg i wyau'r petris eraill ac wedi iddynt fagu eu cywion ymgasglant yn haid.

Flynyddoedd yn ôl fe welid petrisen fechan fach, heb fod llawer mwy na cholomen fawr, ond y mae wedi diflannu ac ni welais yr un ohonynt ers llawer blwyddyn bellach. Wn i ddim beth oedd y rheswm am y diflaniad – digon prin mai hela ydoedd gan ei bod yn swilach ac yn wylltach na'r un fawr. O ran lliw yr oedd hon eto yn ddigon tebyg i'r lwyd fawr ond ei bod yn llai o lawer a heb grib ar ei chopa.

Aderyn mawr arall a fu unwaith yn gyffredin trwy'r wlad

yw'r condor (*Sarcohamphus gryphus*). Mae wedi diflannu oddi ar y gwastatiroedd ers blynyddoedd lawer bellach ond yn llwyddo i ddal ei dir i raddau bychain ym mynyddoedd yr Andes. Hwn yw fwltur mwya'r byd. O flaen un edn i'r llall gall ymestyn yn agos i dair llath. Y mae'n ehedwr cryf ond ei arferiad yw disgwyl i'r haul gynhesu ac yna manteisio ar y colofnau o awyr gynnes a fydd yn esgyn o'r dyffrynnoedd fel y gall orwedd neu hofran arnynt am oriau heb symud ei edn. Nid yw'n heliwr ond y mae ei big yn ddigon garw i ladd oen neu lo newydd-anedig os bydd y fam wedi ei adael. Rhaid cael llygaid craff iawn i'w weld yn yr awyr ond gall ef ei hun weld am ddegau o filltiroedd o entrychion yr awyr. Gwêl anifail wedi marw yn gyflym a phan gyrhaedda ato, ymhen ychydig funudau bydd ei wehelyth wedi cyrraedd yno hefyd, gan mai anifeiliaid wedi marw yw eu cynhaliaeth. Du yw'r iâr ond mae gan y ceiliog ychydig o goler wen. Nid oes dim plu ar eu pennau na rhan o'u gyddfau a gallant droi'r gwddw'n gylch cyflawn. Maent yn adar glân iawn a threuliant oriau lawer yn ymdwtio ar dorlan neu ar binaclau uchel neu graig i ddisgwyl i'r awyr gynnes godi o'r ddaear i gael hofran arni.

Wedi iddynt gael eu gwala o fwyd byddant yn rhy drymion i godi ar eu hadenydd ac yn wir fe fanteisir arnynt yn y cyflwr hwn i'w goddiweddyd gan farchogion. Y mae'n ofynnol iddynt gael wynebu'r gwynt i godi a bydd yr helwyr felly yn gofalu rhedeg gyda'r gwynt i'w dal. Buwyd yn rhy lawdrwm arnynt yn y gorffennol a chawsant eu hela yn annheg gan eu beio'n ormodol am ladd anifeiliaid ac erbyn hyn maent wedi prinhau'n ddirfawr. Credaf eu bod bellach mewn perygl o ddiflannu.

Ar greigiau uchel iawn y bydd y condor yn nythu ac

anodd iawn yw cyrraedd at eu nythod gan eu bod mor ofalus wrth ddewis eu nythle.

Y maent i'w gweld yn ehedeg uwchben ein ffarm ni, Pennant, ac weithiau os bydd rhyw anifail wedi marw heb fod yn rhy bell oddi wrth y tŷ, mynych y'u gwelir bryd hynny ond ni fyddwn ni byth yn eu hela.

Y mae fwltur arall llai na'r condor sydd yn debyg iddo ond fod ei ben yn dduach. *Poto* y'i gelwir gan y brodor. Gall pen y condor fod â chrib coch ond bydd y fwltur hwn yn jet ddu a thebyg i dwrci o ran maint.

Y mae'r gylfinir (tylwyth y crymanbig neu'r *Ibis*) yn aderyn cyffredin ym Mhatagonia ond anaml iawn y bydd yn nythu ar y gwastadeddau eithr mewn coedwigoedd bron bob amser. Un llwytgoch lliwgar ydyw â gwddw coch symudliw a phig neilltuol o hir. Mae'n aderyn swil iawn ond yn hawdd i'w ddofi os caiff ei ddal yn ifanc. Fe'i gwelais felly aml i dro ac yn byw o gwmpas y tai. Mae'n eiddigeddus iawn o'i gartref a chyn gynted ag y daw rhywun neu rywbeth diarth heibio rhydd waedd o rybudd, gan hynny fe'i hoffir o gwmpas y tai. Pryfed yw ei brif gynhaliaeth ac mae'n hoff o gael ei fwydo â darnau o gig pan fydd wedi dod yn ddigon dof.

Cartrefant fel rheol yn haid neu dylwyth ac mae gennyf ryw ddeg ar hugain ohonynt ar y coed uchelfrig yn agos i'm cartref. Gan na fyddwn yn aflonyddu arnynt deuant yn agos i'r tŷ ond nid yn ddigon agos i'w bwydo. Hwy fydd yr adar olaf i fynd i glwydo a bydd hynny ymhell wedi i'r haul fachlud. Byddant yn ochelgar iawn wrth ddod at y coed i glwydo. Ehedant sawl tro o gwmpas i sicrhau bod popeth yn glir a bydd un ohonynt wedyn yn mentro i'r glwyd a'r lleill yn dal i ehedeg o amgylch. Wedi dau neu dri thro wedyn bydd un arall yn disgyn ac fel yna bob yn un a dau y byddant yn clwydo gan gecran ar ei gilydd yn drystfawr. Hwy eto fydd yr adar cyntaf i godi o'u clwydi yn y bore ac anelant am y caeau i hel pryfed. Y maent yn fendithiol iawn i'r ffermwyr ac fe'u perchir am hynny.

Diddorol yw nodi fel y bu newid ym mhoblogaeth gyffredinol yr adar ar hyd y blynyddoedd. Yn ôl arloeswyr cynnar Patagonia yr oedd adar yn brin, yn neilltuol yn y coedwigoedd. Ond wedi i'r dyn gwyn glirio'r coed er mwyn cael ffarmio'r tir bu cynnydd yn y pryfed ac o ganlyniad y mae adar wedi lluosogi'n fawr yng nghoedwigoedd yr Andes erbyn hyn, ac yn gyffredinol gwelir mwy o adar yn y Wladfa nag yng Nghymru mi gredaf.

Cofiaf y piod cyntaf yn cyrraedd yn y 1920au a hynny mewn storm fawr o wynt poeth o'r gogledd a barodd am ddyddiau. Y *pirinchos* neu *urraca* (*Guira guira*) oeddent i frodorion y gogledd, ond i'r Gwladfawyr naturiol oedd eu galw yn biod gan eu bod yn ddigon tebyg i'r rhywogaeth honno a adwaenent gynt yn yr Hen Wlad ond eu bod yn felynfrown a rhesi duon ar y gynffon. Llygod ac adar bach yw eu prif gynhaliaeth ac maent hefyd wedi achosi gostyngiad yn nifer adar y to a fu gennym gynt yn Nyffryn Camwy trwy fwyta eu hwyau a'u cywion. Heddiw-ddydd yn yr Andes, lle nad oes piod, mae adar y to eu hunain yn bla. Mae'r rhain yn weddol newydd ac yn hynod o debyg i aderyn y to a geir acw yng Nghymru o ran ei gân a'i arferion. Yn ôl yr hanes rhywun a ddaeth â hwy mewn cawell ar fwrdd llong i Borth Madryn ac yna'u gollwng yn rhydd, ond wn i ddim a oes gwirionedd yn hynny ai peidio.

Aderyn arall a gyrhaeddodd yma yn weddol ddiweddar ac sydd wedi lluosogi erbyn hyn yw'r *hornero* (aderyn y ffwrn fach), sef yr aderyn sydd yn gwneud ei nyth fel ffwrn gan ddefnyddio llaid. Yn *Primavera*, ardal Moriah yng nghyffiniau Trelew, cartref y Br Euros Hughes, y gwelais ef gyntaf, yng ngwanwyn 1965.

Ni cheir yma yr un frân ond y mae gennym aderyn arall sydd yn byw'n debyg iddi, yn bwyta llawer o bryfed ac yn darnio ac yn bwyta unrhyw beth a fydd wedi marw, sef y *chimango* (*Milvago chimango*). Aelod o deulu'r barcud yw'r *chimango*, fodd bynnag, a phig fel y barcud sydd ganddo ond ei draed yn fflat a di-grafangau a cherdda fel iâr.

Ni cheir y gog ym Mhatagonia a byddai'r Hen Wladfawyr yn hiraethu amdani, ac am adar eraill a oedd yn gyfarwydd iddynt gynt yng Nghymru, ond y gwir oedd eu bod yn hiraethu am bopeth a geid yn yr Hen Wlad.

Anifeiliaid Gwylltion

Erbyn heddiw rhoddir bri mawr ar ddiogelu bywyd gwyllt ac i'r amcan hwnnw sefydlwyd parciau cenedlaethol yma. Ni chaniateir i neb ladd unrhyw anifail o fewn eu tiriogaeth, boed lew (piwma) neu ysgyfarnog ac o ganlyniad tuedda'r rhain i fod yn bla gan beri colledion enfawr i amaethwyr. Yn wir, gorfu i nifer o amaethwyr adael eu ffermydd i chwilio am fywoliaeth yn rhywle arall a bron na ddywedwn i fod gan yr anifail mwyaf di-nod fwy o hawl ar y lle na dyn. Yn fy marn i nid mewn parciau cenedlaethol y dylid sicrhau nad aiff bywyd gwyllt i ddifancoll ond ar hyd a lled y wlad.

Ymysg creaduriaid prin o'r fath y mae'r gath wyllt. Y mae dau fath o gathod yn byw ar y paith. Gelwir un yn *gato montes*, neu'r gath fynydd. Mae hon yn dlos iawn â smotiau fel llewpard arni, rhai duon ar gefndir llwydwyn. Mae'n gath swil iawn a chyflym ac yn byw yn debyg i bob cath arall gan hela pethau o fewn ei chyrraedd a magu ei rhai bach yn y drain. Roedd croen y rhain mor werthfawr a'r ymlid a fu arnynt mor ddi-ildio nes eu bod bellach yn bethau prin ac agos iawn at ddifancoll. Y math arall yw'r *gato pajero*, neu'n llythrennol, cath y gwellt. Cath reibus iawn heb ddim byd yn dlos ynddi yw hon a'i chynffon ychydig yn fyrrach â blew o frown tywyll ar y cefn ac yn tueddu i fod yn rhesog. Mae ei phen yn fwy blewog na'r llall. Mae ei chroen yn llawer llai o werth na'r gath fynydd a hyn sydd i'w gyfrif o bosibl ei bod i'w gweld ar adegau ar y paith, ond mae'n brin iawn serch hynny.

Mae prinder y cathod brodorol hyn ar y paith wedi achosi rhai problemau – tebyg i'r cynnydd mawr a gaed yn nifer yr ysgyfarnogod Ewropeaidd sydd wedi cyrraedd yma, hefyd plâu eraill megis y llygoden gota, neu'r 'dwcw-dwcw' fel y'i gelwir, enw sy'n adlewyrchu'r sŵn a wna'r anifeiliaid hyn wrth alw ar ei gilydd dan y ddaear. Mae'r rhain eto'n byw yn y drain ac os deuant yn agos i ardd byddant yn difetha popeth. Does dim byd tebyg i'r gath wyllt neu'r ffwlbart i'w hela a'u difa ond mae'r dwcw-dwcw er hynny i'w cael o hyd, er na wn sut y llwyddant i fyw a chynyddu yn eu cynefin ar y creigiau gan gofio hefyd fod eryrod a barcutiaid yn eu hela.

Anifail arall yw'r piwma (*Felix concolor*) sydd ag arferion tebyg iawn i'r gath. Maent hefyd yn debyg iddi ac yn rhyw fath o fewian ar ei gilydd yn y coed. Pan gânt eu dofi, a gwneud hynny pan fyddant yn fach, gwnânt fyw yn fodlon o gwmpas y tŷ a gwn am amryw o deuluoedd sydd wedi eu magu ond eu bod yn gostus iawn i'w cadw gan eu bod mor awchus am gig. Bu un ohonynt gan Elias Owen, cymydog i mi; torrodd ewinedd y piwma rhag iddo ymosod ar anifeiliaid llai. Byddai'n cael ei ddiogelu wrth gadwyn ac er ei fod yn gyfeillgar ag Elias Owen, rhedai i ymguddio yn ei gwt pan ddeuai ymwelwyr heibio.

Y mae mwy nag un rhywogaeth ohonynt. Rhai gleision a geir ar y paith ac y maent tua'r un maint â gafaelgi mawr (mastiff) a chynffon hir ganddynt. Gall y rhain ladd a chodi dafad fawr neu lwdn a'u cario'n rhwydd iawn. Ceir rhywogaeth lai ei maint a chochach ei lliw yn trigo yn y mynyddoedd a'r coedwigoedd.

Pan ymosoda llew'r paith – y piwma – ar ddafad, y dull arferol yw ei tharo ar ei phen â'i bawen ac mae un trawiad yn ddigon i sigo'r pen yn hollol fel y syrth fel un farw. Yna fe sugna yntau'r gwaed. Mae hanesyn am Bagillt – hen ŵr a

Piwma – llew'r paith – yn sŵ Trerawson

oedd yn byw ar ei ben ei hun yn yr Andes – yn clywed yr ast
yn rhyw gwyno wrth y drws. Gafaelodd yntau yn ei wn a
mynd i weld beth oedd ei chŵyn. Beth oedd yno ond piwma
wrthi'n ddygn yn sugno gwaed yr ast, ac fe saethodd Bagillt
ef yn y fan a'r lle.

'Chafodd o ddim amser i dynnu ei dafod i mewn nad
oeddwn i wedi'i ladd o,' chwedl yr hen ŵr.

Y peth cyntaf a wna'r piwma pan fydd wedi cael gafael ar
ddafad fydd sugno ei gwaed. Os bydd arno angen rhagor o
fwyd bydd yn agor y frest ac yn bwyta'r rhannau mwyaf
blasus a mwyaf seimlyd o'r anifail gan ei osod wedyn yn
daclus dros ei ysgwydd. Os bydd wedi ei ddigoni a'r lle'n
dawel heb fod dim i'w ddychryn, bydd yn llusgo ei
ysglyfaeth a'i gladdu mewn deiliach dan dwmpath o ddrain
neu goed. Pan wna hynny bydd yn eithaf sicr o ddychwelyd
yno am ragor o saig. Ar droeon fel hyn y manteisir ar y cyfle

i'w wenwyno. Fel hyn y llwyddwyd i ddifa'r rhan fwyaf ohonynt gan eu bod yn peri colledion mawr iawn i berchenogion y defaid ar y peithdir agored.

Mae piwma'r Andes sy'n byw yn y coed dipyn yn llai, yn gochach ac yn frowngoch a gall ddringo'r coed yn rhwydd. Doedd y piwma mawr ddim cystal dringwr o lawer. Fe'i hymlidir yntau hefyd â chŵn ond geill hwn ladd y cŵn yn hwylus ddigon os bydd y rheiny'n ddiofal ac yn mynd o fewn cyrraedd i'w ewinedd. Bydd yn taro â'r bawen a'r ewinedd yn agored fel y gwna'r gath, ac yn eu rhwygo. Mae'r cŵn, fodd bynnag, yn gwybod am y perygl ac yn cadw o gyrraedd y bawen nes iddynt lwyddo i fod yn sicr o gael gafael yn y piwma. Pan fo dau gi yn ei ymlid mae siawns i un o'r ddau gael gafael yn ei glust neu fôn ei war a bydd ar ben ar y piwma wedyn; yn wir, mae fel petai ryw wendid yn ei wddw. Mae'r *gaucho* sawl tro wedi manteisio ar y gwendid hwn i luchio tafl-dennyn am ei ben. Aiff yn hollol ddiymadferth unwaith y mae'r tennyn am ei wddw a gellir ei lusgo dros y tir – ar geffyl wrth gwrs – hyd nes y bydd yn farw. Mae hyn yn swnio'n greulon iawn ond gydag anifail mor beryglus dyma ffordd effeithiol i'w ddifa. Mae'n magu ei rai bach mewn lleoedd anghysbell iawn; mewn creigiau geirwon neu ogofeydd ac mae'n gryn gamp i unrhyw un ddod o hyd iddynt. Fesul tri a phedwar y gadawant y ffau gyda'u mam ac wrth gwrs byddant yn swil a gwyllt iawn.

Cafodd yr Hen Wladfawyr nifer o brofiadau annymunol gyda'r piwma. Edrydd John Daniel Evans hanesyn yn ei ddyddiaduron am ymosodiad ar John Murray Thomas yn 1885 ar y daith hanesyddol pan ddarganfuwyd Cwm Hyfryd. Prin er hynny yw'r hanesion am y piwma yn ymosod ar bobl, ac yn ôl a ddeallaf digwydd bod yn eistedd neu orwedd y byddai'r anffodusion hynny. Clywais mai wedi mynd i wyro yr oedd John Murray Thomas y tro hwnnw, o olwg gweddill y fintai. Dyma a ddywed John Daniel Evans yn ei atgofion:

A thrannoeth aeth Mr Thomas wrtho'i hun allan o'r Drofa am gyfeiriad y Creigiau Gwynion. Neidiodd piwma ar ei war ac fel y bu orau'r lwc yr oedd gan Mr Thomas poncho ysgafn o wlân gwanaco ar ei ysgwyddau a'r gwn yn llwythog yn ei law. Taflwyd ef i'r llawr gan naid y piwma ond rholiodd y piwma yn bellach na Mr Thomas a'r poncho yn ei bawennau. Meddiannodd Mr Thomas ei hun, cododd ar ei draed a thaniodd ar y piwma cyn iddo godi a llwyddodd i'w ladd ar yr ergyd gyntaf. A phan ddaeth yn ei ôl i'r gwersyll a thynnu ei ddillad gwelwyd olion gewinedd y piwma man y gafaelodd ynddo. Y fantell poncho yn ddiau a'i hachubodd.

Ar ei daith gyntaf i fyny i Gwm Hyfryd yr oedd Brychan Evans pan gafodd yntau brofiad cynhyrfus. Clywsai fyrdd o hanesion am y piwma ac un noson yn y gwersyll deffrodd yn sydyn. Teimlai rywbeth yn symud wrth ei ochr. Daliodd ei anadl a chlywodd symudiad arall. Yn sydyn clywodd 'wch, wch' ac er mawr ryddhad iddo sylweddolodd mai un o'r moch bach a oedd wedi dod i gysgu wrth ei ochr.

Creadur arall dieithr iawn i'r Hen Wladfawyr oedd y gwanaco (*Lama huanachus*). Ni wn beth yw tarddiad yr enw ond amheuaf mai rhai o Indiaid y Gogledd a roes iddo'r enw hwn ac mae i'w gael yn uchel ar fynyddoedd yr Andes hyd at Beriw. Tuedda i chwilio am wlad agored ac mae ei gynefin ar hyd godre'r Andes lle nad yw'r goedwig yn rhy drwchus. Weithiau hefyd fe'i ceid ymhlith coed, yn neilltuol felly ar ynys *Tierra del Fuego* a'r *Isla Navarino*. Trigai gwanaciaid o rywogaethau ychydig yn wahanol ar yr ynysoedd hyn. Roeddent wedi newid eu dull o fyw yno a'u traed wedi datblygu i fod ychydig yn fwy a hynny am eu bod wedi byw ar diroedd meddal dros genedlaethau. Roedd hyd yn oed wahaniaeth rhyngddynt ar y naill ynys a'r llall.

Mae'r gwanaco yn perthyn i deulu'r camel ac yn ôl damcaniaeth datblygiadau naturiol mae'n debygol ei fod wedi croesi i Ogledd America oesoedd pell iawn yn ôl – o bosibl pan groesodd cyndeidiau'r brodor hefyd yn yr un dull pan oedd y moroedd yn isel a'r rhew yn drwchus ar y ddaear. Yr adeg honno ymestynnai tir o Asia i America sef ar gyfer Alaska heddiw ac mae'n debygol i'r mathau hyn o anifeiliaid symud yn groes i'r tir hwnnw hyd America ac yna i lawr ar hyd godre'r Andes.

Mae'r gwanaco'n anifail sy'n pwyso rhwng cant a chant a hanner o gilos. Mae ganddo wddw hir a phen bach del a llygaid tlws iawn. Mae ei wlân yn hawdd iawn i'w nyddu ac mae'r brodorion wedi cael profiad cenedlaethau o wneud defnyddiau da iawn ohono. Bu'r gwanaciaid yn byw yn heidiau ar y paith: degau a channoedd ohonynt gyda'i gilydd, ond mae'r dyn gwyn wedi eu difa bron yn llwyr. Mae digon ohonynt fodd bynnag i gadw'r rhywogaeth yn fyw ac nid ydynt erbyn hyn o ddim defnydd ymarferol i gynnal dyn fel yn y gorffennol. Roedd y Teweltsiaid (a'r *Ona* o *Tierra del Fuego* a oedd yn perthyn yn agos iddynt) yn byw bron yn gyfan gwbl ar gig y gwanaco ac yn ei ddilyn yn gyson a'i ymlid ar hyd eu hoes.

Chulengo y gelwir y gwanaco ifanc a gwlân hwnnw yw'r

gorau (wedi iddo dyfu ychydig) ar gyfer gwneud mantell ohono. Pan â'n hŷn ac wedi iddo gryfhau a thwchu, nid yw deunydd y mentyll crwyn mor ystwyth a thuedda i rwygo. Arfera'r gwanaciaid fyw gyda'i gilydd yn ddiadelloedd neu drŵp, ac os gwelir un ar ei ben ei hun neu ddim ond dau neu dri ohonynt, rhai gwryw fydd y rhain fel arfer, ac wedi bod yn ymladd. O golli'r ymladdfa byddant wedi cael eu herlid gan y rhai cryfaf a fyddai'n aros gyda'r rhai beinw.

Rhostio darn o gig asado

Mae'r gwanaco'n perthyn yn agos i'r anifail a fegir yn ddof ar fynyddoedd Periw, sef y *llama* (ynganer 'shama'). Mae hwn yn byw'n ddof gyda'i berchenogion ac yn tyfu gwlân gwell na'r gwanaco ac mae hefyd yn aml-liwiog, sef du a gwyn a broc hefyd.

Ceir perthynas agos arall i'r gwanaco a elwir yn *vicuña*. Anifail bychan tebyg i'r milgi yw hwnnw sydd yn wyllt iawn mewn rhannau o'r Andes. Mae hwn hefyd wedi cael ei hela yn agos i ddifancoll. Rhoir pris mawr ar ei groen ond erbyn hyn mae llywodraethau Periw, Bolifia a'r Ariannin yn ceisio ei warchod rhag iddo ddiflannu, a hynny trwy greu deddfau i'w amddiffyn. Mae ei wlân yntau'n neilltuol o fain ac yn addas iawn i wneud *ponchos*. *Ponchos* o'r deunydd hwn yw'r rhai drutaf sydd i'w cael.

Pan gyrhaeddodd y Sbaenwyr i Beriw roedd yr *Inca*, llywodraethwr imperialaidd y wlad, wedi sylweddoli gwerth y *vicuña* a'i fod mewn perygl o ddifancoll. Deddfwyd wedyn mai'r *Inca* oedd perchen pob *vicuña*. Roedd ganddo dymhorau arbennig i'w hel at ei gilydd a hynny rhwng muriau heb fod yn annhebyg i'r waliau cerrig uchel a welir ar fynyddoedd Cymru. Byddent wedyn yn dewis y rhai hynaf a'r rhai gorau at eu lladd ac felly'n sicrhau gwlân yn fwyaf neilltuol at ofynion yr *Inca*. Yr oeddent hefyd yn gofalu fod y rhai ieuengaf yn cael pob chwarae teg a'u gollwng unwaith eto yn ôl i'w cynefin ar y mynyddoedd.

Un o'r creaduriaid sy'n achosi llawer o golledion i ni yw'r llwynog coch (*Canis magellanicus*). Y mae'n rheibus am ddafad a bydd llwynoges a chenawon ganddi'n lladd yn ddyddiol. Byddwn yn eu hela, wrth gwrs, a hynny cyn gynted ag y bydd wedi bwrw eira. Awn allan efo'r cŵn bryd hynny gan ddilyn eu trywydd yn yr eira. Ar un cyfnod bu'r llwynogod yn dioddef o'r gynddaredd ac y mae llawer o drigolion Cwm Hyfryd yn cofio gweld rhai ohonynt yn gwallgofi ac yn ymosod ar bobl. Mae yma lwynog llwyd (*Canis griseus*) hefyd sydd tua'r un maintioli â llwynog coch Cymru. Ni wnaiff hwn ladd oen oni bai fod y ddafad wedi ei adael, a'i brif gynhaliaeth fel arfer fydd adar, llygod, sgwarnogod bach a chreaduriaid bychain eraill. Mae'r llwynog hefyd wedi cyrraedd ynysoedd y *Malvinas* ac ef yw'r unig anifail gwyllt a lwyddodd i wneud hynny. Tybed ai rywfodd dros y rhew yr aeth yntau i'r fan honno oesoedd maith yn ôl?

Adnabyddir ci'r wlad fel y *Dogo Argentina*. Ci mawr a

gymerodd flynyddoedd i'w ddatblygu yw hwn. Mewn gwirionedd croesiad o dri brîd ydyw ac erbyn heddiw cedwir pedigri ohono. Bu gennyf un ohonynt a bellach mae gennyf feibion iddo o groesiad arall. Mae'n gi ardderchog sydd yn ffyddlon i'w feistr. O ran maint tebyga i'r milgi ond ei fod yn drymach ac yn fwy o stwcyn â phen llydan, cryf. Mae'n gi penderfynol iawn ac unwaith y bydd wedi gafael â'i ddannedd ni fydd yn gollwng. Roedd yr hen gi oedd gen i'n gallu taflu clamp o lo mawr. Roedd gennym unwaith loi gwyllt yn y coed a fyddai'n dianc ar adegau ac wrth hysio'r ci ar un ohonynt byddai wedyn yn cydio yng ngweflau'r llo gan roi plwc nes ei gael i'r llawr. Doedd dim siawns i'r llo ddianc unwaith y câi'r hen gi afael ynddo.

Fe'i gwelais unwaith yn ceisio gwneud hyn â tharw a llwyddo hefyd i gael gafael ynddo, ond roedd yr hen darw'n meddu ar wddw mor gryf nes llwyddo i daflu'r ci dros ei gefn i'r ochr arall. Yn ei ôl yr aeth yr hen gi wedyn a'i goncro yn y diwedd. Teirw gwyllt a pheryg oeddent ond byddai arnynt i gyd ofn y ci gan y llwyddai i dynnu gwaed ohonynt bob tro.

Cofiaf gyfaill, acw efo ni un tro a ninnau wedi mynd i blith yr anifeiliaid. 'Mae'r tarw 'cw'n edrych yn beryg,' meddai.

'Paid â phoeni,' meddwn innau. 'Tyrd yn dy flaen.'

O weld yr hen darw'n dal i droi o'n cwmpas dyma finnau'n hysio'r ci arno a rhedodd yntau i ffwrdd nerth ei garnau gan ei fod yn adnabod yr hen gi'n iawn.

Anifail cyffredin arall yw'r *armadillo* (*Dasypus Minuto*) neu'r 'dulog' ys dywedai Taid Berwyn. Mae rhagor nag un math o'r *armadillo* i'w gael, ond pan gyrhaeddodd y dyn gwyn i Batagonia y dulog bychan yn unig oedd yno sef y *piche* – gair brodorol yn golygu 'bychan'. Mae hwn yn rhyw droedfedd o hyd efo cragen ar ei gefn a nifer o gymalau iddi sydd yn rhedeg yn groes i'w gefn a chynffon fach wedi ei gorchuddio â'r *arma* a geir yn ei enw. 'Arf' yw ystyr hwnnw a gwelwn fod hon yn ei amddiffyn fel yr hen filwyr gynt â'u gwisgoedd dur.

Maent yn byw yn y ddaear ac yn magu dau fychan fel rheol. Byddant yn cysgu dros y rhan helaethaf o'r gaeaf ond os daw sbel go gynnes yn ystod y tymor daw ambell un ohonynt i'r golwg, a sylwais eu bod bob amser yn dewion. Golyga hynny eu bod wedi bwyta'n helaeth a thewychu cyn mynd i gysgu ac yna'n byw ar y bloneg hwnnw. Pan ddaw'n amser iddynt ddod allan o'u trwmgwsg yn y gwanwyn gwelwn eu bod wedi teneuo erbyn hynny. Ymhen ychydig wythnosau fodd bynnag byddant wedi pesgi unwaith yn rhagor ac yn y cyflwr hwnnw maent yn dda iawn i'w dal a'u bwyta. Erbyn diwedd yr haf bydd tua modfedd o saim dros y corff a byddant yn barod i fynd i gysgu.

Maent yn bethau bach bywiog iawn ac yn tyrchu'n gyson am eu bwyd. Un tro pan oeddwn yn hela fe welais ddulog â dim ond ei ran ôl a'i gynffon yn y golwg o'r ddaear. Tyrchu yn awchus yr oedd ond gafaelais innau yn ei gynffon gyda'r bwriad o'i ladd yn gigfwyd ond pan dynnais ef allan roedd ganddo neidr fechan yn ei geg. Doedd hon ddim llawer hwy na nodwydd sanau ond ymdrechai ei gorau i'w frathu er ei fod eisoes wedi bwyta'i hanner hi. Dyna'r unig dro i mi weld yr *armadillo*'n bwyta neidr, ond dyna'u bwyd nhw yn ogystal â phob math o gynrhon a thatws tanddaearol. Wedi cael y pontydd yn groes i Afon Ddu (*Rio Negro*), y mae'r mathau gogleddol o *armadillo* erbyn hyn wedi croesi'r afon ac wedi ymgartrefu yn y de.

Teulu'r peithon yw'r nadroedd sydd yma, ond rhai digon diniwed serch hynny. Cofiaf i mi fod yn dyfrhau'r caeau unwaith pan oeddwn yn grwt o hogyn. Fy ngorchwyl oedd gollwng dŵr o un sgwâr i'r llall ac wrth wneud hynny mae'n rhaid cael rhyw amcangyfrif pryd y bydd y dŵr wedi llenwi fel y gellir ei ollwng i'r sgwâr agosaf ato. Roeddwn wedi bod yn ôl ac ymlaen unwaith neu ddwy y tro hwn a chanfod nad oedd digon o ddŵr wedi llifo. Fel y cerddwn trwy'r gwair mawr clywn sŵn tebyg i fabi bach yn crio.

'Mae rhywun wedi gadael babi,' meddwn, ond doedd un dim i'w weld na'i glywed chwaith o'r llecyn lle y safwn i arno. Pan awn ychydig bellter oddi yno, fodd bynnag, clywn y babi'n crio unwaith yn rhagor. Digwyddodd hyn dair neu bedair gwaith i gyd a dechreuais bendroni sut i ddod o hyd iddo. Pan safwn yn fy unfan am ysbaid, heb symud llaw na throed, dechreuai'r babi grio wedyn a phan godwn byddai'r sŵn yn tawelu. Fel hyn yn araf ac yn sicr y lleolais y sŵn. Y diwedd fu i mi ddod o hyd i sgwarnog fach ac un o'r nadroedd wedi clymu yn bedwar neu bump cylch amdani ac yn ei gwasgu. Roedd fy sŵn i yn nesu bob tro yn peri i'r hen neidr lacio ei gafael ac fel yr awn ymhellach gwasgai hithau yn dynnach am ei phrae.

Y *mara* yw ysgyfarnog naturiol y wlad o Afon Ddu tua'r de. Mae'n anifail mawr o gymharu â'r ysgyfarnog Ewropeaidd ac yn pwyso rhyw ddeg cilo neu ragor pan fydd yn dew ac yn ei llawn dwf. Clustiau bychain sydd ganddi, tebyg i ffurf rhai'r llygoden gota. Y mae ei phen hefyd yr un siâp ddywedwn i, ond ei fod yn llawer mwy. Y mae ei chefn yn frown tywyll, bron yn ddu, gydag ymyl wen, fel petai ganddi siôl drosti; ei bol yn olau a chynffon fach fer fel blaen bys. Mae'r pedair coes yn debyg o ran hyd ac nid fel y rhai

Mara – *ysgyfarnog Patagonia*

Ewropeaidd â choesau blaen byrion a'r rhai ôl yn hir. Cerdda'n sionc a chamu'n fân gan drotian fel ci, ond pan fydd yn barod i redeg bydd yn llamu'n debycach i'r sgwarnog Ewropeaidd. Rhaid cael milgi da iawn i'w dal pan fydd yn mynd felly. Gwna ffeuau neu dyllau dyfnion i fyw ynddynt a maga'r rhai bychain yn y gwaelodion. Daw'r rhain allan i geg y twll neu'r ffau i dorheulo ar dywydd braf, ond byddant yn barod iawn er hynny i ail-ddiflannu o'r golwg i'r twll. Pan y'u delir gwichiant fel moch bychain a'r ffordd hwylusaf o'u hela gan y Cymry fyddai darganfod y tyllau ymlaen llaw a gosod rhwystr tua hyd braich i mewn yn y twll, megis drain wedi eu pacio, neu rywbeth arall, ac yna mynd allan i chwilio am yr ysgyfarnogod a fyddai ar y paith a hysio cŵn ar eu holau. Ychydig o obaith a fyddai gan y cŵn i'w dal ond gan amlaf cyrhaeddent y ffau a chan na fedrent fynd ymhell i'r twll fe'u delid yn hwylus.

Y mae'r ysgyfarnog Ewropeaidd wedi cael dod i'r wlad hon ers llawer o flynyddoedd ac wedi cymryd meddiant helaeth ohoni, ond erbyn hyn dechreuwyd ei hela'n ddygn am fod pris da i'w gael am y croen a'r cig a dechreuwyd ei chael dan reolaeth unwaith eto. Allforir y cig dros y Werydd.

Heddiw-ddydd (1984)

Pan laniodd y mwyafrif llethol o'r Hen Wladfawyr ym Mhatagonia ym 1865 ar draethau diffaith y Bae Newydd sef gorynys *Valdes* – heddiw Porth Madryn – mintai oeddent a ymbleserai ar wirioneddau'r efengyl ac yn hollol ffyddiog ynddi. Nid boneddigion â milwyr yn eu harwain a aeth ychwaith ond Cristionogion pybyr â Beiblau yn eu dwylo.

Yn wahanol i ddarganfyddwyr America Fawr yn concro'r brodorion â grym y cledd, gall y genedl Gymreig ymfalchïo na laddodd hi yr un brodor o Indiad pan ymsefydlodd ym Mhatagonia. Y mae hwn yn honiad gwir bwysig ac yn dal pwysau yng ngoleuni'r hyn a ddywedais o'r blaen am eu ffydd, ac am eu gweddi, a mentraf ddweud fy mod wedi

Cysylltu gyda chyfeillion ym mhedwar ban byd

darllen tipyn o hanes y byd ac nad oes yr un genedl arall dan haul sydd wedi gwladychu a chymryd gwlad helaeth fel y gwnaeth y Cymry heb ladd yr un brodor. Nid cleddyf ond y Beibl oedd yn llaw yr arweinwyr o Gymry.

Emynau Bethal yn afiaith
o gân rhwng caledwaith,
a Duw Cymru ar y paith.[1]

Fel y dywedwyd o'r blaen gan eraill, y mae'r Gymraeg bron â diflannu o farwolaeth naturiol a bron na ddywedwn na ellir sôn amdani bellach nac amdanom ninnau fel Cymry. Clywais ddweud y byddai ugain mil o Gymry yn ymfudo i wahanol rannau o'r byd bob blwyddyn ar un cyfnod ond mai rhyw ddwyfil yn unig ddaeth i'r Wladfa. Pe baem ninnau wedi cael tua ugain mil neu ragor i ddod yma buasai gennym wedyn dalaith Gymreig a gwell gobaith am wireddu'n barhaol yr hen freuddwyd. Nid Gwladfa Gymreig mohoni bellach ond Gwladfa Batagonaidd. Daeth cael sgwrs yn y Gymraeg yn anos bob dydd. Gydag un person yn unig y cefais i sgwrs Gymraeg ddiddorol ddoe yn Esquel. Yng Nghwm Hyfryd bellach yr unig adeg y byddwn ni Gymry yn casglu at ein gilydd yw i gael Eisteddfod neu i groesawu ymwelwyr o'r Hen Wlad. Rydym hefyd yn llwyddo hyd yn hyn i gael Cymanfa Ganu y Sul ar ôl yr Eisteddfod.

Er hynny pery'r diwylliant fel llawer o'n harferion. Y mae'r Eisteddfod yn ymledu trwy diroedd y de – yn ddi-Gymraeg – ond gallaf dderbyn mai Eisteddfod ydyw ar ei newydd wedd. Ceir cystadlu gan genhedloedd o daleithiau pellennig, gan gorau a phartïon a hefyd ar y farddoniaeth.

Erik Iolo Green gyda'i wraig Sylvia Baldor a'u plant, Hevin a Helen

Fred gyda'i ŵyr Hevin (2001)

Y rheol ar aelwyd Pennant ar hyd y blynyddoedd yw mai'r Gymraeg yn unig a siaredir yma ar wahân i'r adegau hynny pan ddaw ymwelwyr sydd ddim yn deall yr iaith heibio i ni.

Ond yn goron ar y cwbl y mae llawer o'r brodorion yn troi oddi wrth eu hofergoelion at Gristnogaeth ac efallai mai dyna'r dylanwad mwyaf un a gafodd y Cymry ar y wlad hon.

[1] Eluned Phillips, 'Clymau', *Cyfansoddiadau a Beirniadaethau Eisteddfod Genedlaethol Cymru*, 1983.

Coeden Deulu Frederick Green

Mary Jones ? - ?

Tomos Williams ? - 1810

Catherine Harris 1846 - 1920

John Griffiths 1846 - 1875

Elizabeth Pritchard ~1837 - 1874

Prof. Richard Jones Berwyn 1837 - 1917

Desconocido ? - ?

Frederick Green 1886 - 1974

Llaza Mary Williams 1868 - 1931

Gwenoney Berwyn 1860 - 1912

John Charles Green 1915 - 1914

Griffith Griffiths 1870 - 1934

Vera Griffiths 1912 - 1987

Frederick Green 1912 - 2002

Sylvia Maria Balder 1966

Helen Mair Green 1994

Erin Iolo Green 1997

Hewin Rhodri Green 2002

Aldo Sangiovanni 1958

Vera Alween Green 1956

Ada Sangiovanni Green 1987

Lic. Jorge Enrique Sorolla 1960

Elizabeth Mary Green 1953

Enrique Sorolla Green 1983

Lic. Sara Araceli Bonola Green 1989

Margarita Elisabeth Jones 1954

Tania Sosa Day 1977

Alan Charles Green 1983

Ian Green 2009

Juan Charles Green 1951

Brian Alan Green 1977

Dianne Green 2001

Ricardo Federico Green 1976

Alejandro Ramírez

Lara Green 2003

Coeden achau y teulu Green

137

Detholiad o Ddyddiaduron Fred Green

Duddlufr (sic) *perthynol i Fred Green*, Greenland, Trelew, Chubut

1931

Mawrth 16
Cychwynnais oddi adref ar ôl llawer o baratoi, a galwais yn lle Myfyr i gael hyrddod Señor Perez. Daeth Euros gyda mi rhan o'r ffordd a rhoddodd fenthyg pistol fach i mi. Pan oeddwn tua hanner ffordd dechreuodd wlawio yn drwm, a daliodd felly nes y cyrhaeddes bron y Gaiman.

Mercher 17
Cliriodd ychydig fach y bore yma, fel y gallasom gychwyn, Aled a Gerallt yn dod hefyd. Tua canol dydd cawsom gawodydd trwm iawn, ond gallasom gyrraedd Rhyd Pyrs Mawr, a champio ar dir perthynol i Dei Griffiths.

Iau 18
Rhewodd yn drwm neithiwr ond cychwynasom yn weddol fore a cyraeddasom ffarm y cwmni erbyn cinio, yn y fan yma y mae Isac ac Urien yn byw yn awr a cawsom 'talaje' [lle i roi anifeiliaid i bori] tan yfory. Buom ein tri yn Dolavon y pnawn yma.

Gwener 19

Diwrnod pur helyntus. Aethom â'r hyrddod ac fe'u llwythwyd i'r tresl, ac yna disgwyliasom Chris [i] ddod i dalu am eu gyrru, ond ni ddaeth a gorfu i Aled dalu o'i bres poced ac ychydig a gafodd o'r CMC [Cwmni Masnachol Camwy].

Fe'r oedd Pablo Murga yn teithio gyda ni o Dolavon ymlaen. Pan ddisgynnais yn yr orsaf gyntaf fe'r oedd dau o'r hyrddod wedi marw yno, rhai W. Evans, ac un o rhai Señor Perez, ac felly o'r fan honno ymlaen fe'r oeddym yn cymeryd troion ar naill o fynd yn y cerbyd gyda hwynt, rhag bod rhai eraill yn marw.

Pan yn dadlwytho yn y nos, torrodd un ei goes, ac anghofiais rhyw baciau oedd Alfredo wedi yrru gyda mi i Oris. Noson annifyr.

Sadwrn 20

Cychwynasom yn fore ar ôl llwytho hyrddod gyda'n dwylo i'r 'camión' [lori] uchel oedd â deg olwyn oddi tano yn gyfan gwbwl. Cawsom ein yswyd yn ofnadwy, a safasom ddwy neu dair gwaith i gael bwyd. Gwelais bont newydd Rhyd yr Indiaid am y tro cyntaf, er ei bod yn ddigon sâl y mae yn well nag yr oeddwn i yn ddisgwyl. Arhoswn yn nhŷ Murga heno.

Sul 21

Yr ydym yn disgwyl ceffylau ond nid ydynt wedi cyrraedd, dim ar y ddaear i'w wneud ond bwyta a siarad, gobeithio y cyrhaeddant bore fory. Y Sul cyntaf oddi cartref.

Llun 22

Dim i'w wneud, buais yn ymdrochi yn yr afon, y dŵr yn oer. Y ceffylau heb gyrraedd. Buais yn gweld Enrique Nierman yn y Manantiales, yn gofyn am fenthyg ceffylau, y mae wedi gaddo rhai os na ddaw ceffylau Perez erbyn bore yfory.

Mawrth 23

Cyrhaeddodd dyn o'r enw Segundo Alunqueo yma i [n]ôl yr hyrddod, ond heb yr un ceffyl i ni, fellu buais yn nhŷ Enrique i weld os oedd o am gadw at ei air, ond ni wnâi fenthyca ond dau ond trwy ffawd cafodd Aled geffyl yr ochor draw, felly cawn gychwyn y fory.

Mercher 24

Cychwynasom yn fore gan chwilio am 'cortada' [lle addas i fynd drwyddo]; fe ofnai Aled a Gerallt yn fawr y buaswn yn colli y ffordd, ond cyraeddasom yn gynnar. Nid oedd Contreras yn y tŷ, ond fe'r oedd ei wraig a merch fach dywyll y maent wedi gymryd. Heb fod yn hir cyrhaeddodd yntau, dyn ysgafn gyda mwstas a gwallt du. Dyma'r daith hiraf wyf wedi ei wneud mewn diwrnod ar gefn ceffyl eto.

Iau 25

Wel dyma fi yn cael golwg iawn ar yr hen Primavera eto. Y mae'r camp [rhan o'r paith a ddefnyddir at ddibenion amaethyddol] yn edrych yn ardderchog, ac mae'n borfa melyn i gyd, a'r defaid yn dew ac yn iach.

Pnawn aethom ni a Contreras a'r gwas i lle Señor Perez gan feddwl cael ei weld, ond nid oedd gartref. Gwelais ran o'r 'fence' newydd y mae yn wneud o amgylch ei gamp.

Gwener 26
Buom yn chwilio am estrysod ond methasom â gweld yr un.

Sadwrn 27
Buom yn rhedeg cesig gwyllt, chwech ohonom, cawsom hwyl garw, tair 'legua' [lêg; sef 25km² i ffermwyr y paith] o ras ar eu holau; 'jineteada' [gemau marchogaeth] yn y pnawn.

TACHWEDD 1933

Gwener 24
Buom yn Trelew heddiw gyda Mam, y tro cyntaf i ni fynd ein dau yn y Ford i'r dre ers blynyddoedd, credaf. Ein neges ydoedd paratoi yr hen fodur at y daith. Bwriadaf gychwyn yfory, i fyny'r wlad.

Wedi i ni ddychwelyd o'r dref a gwneud dipyn o baratoadau angenrheidiol, aeth Uriena a minnau i gyfarfod a gynhelid ym Mryn Gwyn (perfformiad o dair drama ac ychydig bethau eraill).

Yn ystod y cyfarfod aeth Caeron, Hefin a minnau i'r Lle Cul i mofyn darnau o'r 'spring' i'w gosod ar y modur. Llosgais 'lamp' gefais yn Trelew heddiw.

Sadwrn 25
Daeth Caeron yma y bore yma, gwnaethom y paratoadau angenrheidiol ar gyfer y daith, ac yna aeth adref ar ôl cinio. Tua tri o'r gloch euthum i lle B.L. a newidiasom y 'spring' ôl am un arall oedd yno, yna aethom i'r felin, i gyrchu ein 'passenger', roedd yntau wedi myned i'r cae 'football';

aethom oddi yno i'r Gaiman i gael gweddill o angenrheidiau y daith, sef 'nafta' [petrol] etc.

Oddi yno i fyny i'r Dyffryn Uchaf i dŷ modryb i Caeron (aethom drwy Lle Cul er mwyn fynd heibio'r felin), a chawsom swper yno. Yna teithiasom drwy'r nos. Yr wyf yn myned â Fraulein [gast ddefaid] i fyny gyda mi.

Mr Garner yn Llywydd.
I ail godi y gangen yn Bont yr Hendre – Fred Green a'i Fam – a Morris ap Hughes
I Bryn Crwn: Mrs Nichols a Mrs Jones a'r Br Prysor
I Treorci: Mrs W. O. Evans
Mrs W. Evans yn cynnig y Br Fred Green yn gynhellyon[?] a'r Br Morris ap Hughes. [*Hyn wedi ei ychwanegu ac mewn ysgrifen ddieithr*]

Sul 26
Ar 'lasiad' y wawr safasom i gael ychydig gwsg, heb fod nepell oddi wrth hafn Dôl y Plu. Cysgasom yn drwm, am awr efallai, yna pan oedd yr haul yn tywynnu'n braf, codasom a bwytasom ychydig, a phan oeddym ar gychwyn, daeth modur y Parch Tudur Evans atom, yntau ar ei ffordd i lawr gyda'r wraig a'r mab Caerfryn, yr hwn yr aethom i fyny i'w weled yn wael iawn bron ar fin angau. Y mae yn edrych yn weddol yn awr, ac wedi dal y daith o'r Andes yn iawn.

Ymhen awr neu ychydig yn rhagor fe'r oeddym yn Nôl y Plu (gwnaethant y daith o'r Gaiman yma ar ugain litr o 'nafta'). Codasom ddigon o 'nafta' i'r daith ac aethom yn ein blaen, cawsom fyrbryd yn y Casa Quemada a'r nesaf ar lan yr afon wrth dŷ Espinel.

Y mae darnau o'r llwybr yn bur dda, a rhannau yn ddrwg iawn, a chyrhaeddasom i'r Chalet [bwthyn bychan] at Will Tindell yn ddi anhap ar ôl diwrnod annifyr o wyntoedd cryfion, llwchfeydd, a gwlaw. Galwasom yn nhŷ Murga a Tia Luis.

Llun 27

Gwynt oer a chryf trwy'r dydd. Cychwynasom o'r Chalet tua naw o'r gloch, ac ymhen ryw awr yr oeddym yn y Primavera. Galwais hebio'r 'puesto' [lle; Saes. *post*] isaf er cael golwg arno, y mae'r hen dŷ o waith fy nhad â golwg garw arno, heb do a bron â syrthio, ac y mae yna ychydig o flocs yn agos iddo, er gwneud tŷ newydd y mae yn debyg.

Pan gyraeddasom i fyny nid oedd Martin a Víctor adref, ac aethom at ein swydd ar unwaith o lanhau a threfnu y peiriant cneifio. Y mae yn well nag y disgwyliwn i ei gweld, ond ei bod yn fudr iawn.

Daeth Martin yn ei ôl yn y pnawn a chredaf ei fod wedi cael diferyn yn ormod, a dechreuodd ddweud y drefn am y 'patrona' [cyflogwraig; mam Fred?] a phob dim arall a ddeuai i'w feddwl, a beth bynnag a ddywedwn i, i amddiffyn rhag ei ymosodiad, dywedai mai celwydd ydoedd; roedd fy amynedd innau bron â dod i ben pan ddistawodd.

Gwelsom rai estrysod yn ymyl 'fence' y Chalet, a cheisiais saethu un gyda'm 7.63 Mouser neu yn ôl bwledi eraill 403 neu 30. A cheisiodd Caeron gyda'i bistol 25 neu 6.35 ond methasom. Ni welsom yr un gwanaco ar hyd y ffordd.

Mawrth 28

Gwlawodd agos trwy'r nos neithiwr, ond er y cwbl nid oedd llawer o'i hoel y bore yma. Buon ni ein tri yn brysyr gyda'r peiriant trwy'r dydd, a chneifio ran helaeth o un hwrdd y pnawn 'ma, ac y mae'r bobol wedi dotio cael clywed y peiriant yn clecian. Y mae Martin rhywbeth yn debyg i arfer heddiw.

Mercher 29
Gosodasom hynny o'r 'manijas' [peiriannau cneifio] oedd yn gyflawn, a chneifiasom agos i saith hwrdd, yn gynnar y boreu yma. Cymerais i gyfrif o'r rhannau angenrheidiol, ac ysgrifennais at Mam, yn eu cylch. Ysgrifennais un llythyr y bore yma ac anfonais ef gyda'r plant i'r athro gan ofyn iddo [fynd] i El Pajarito; cefais y llythyr yn ei ôl, trwy nad oedd cyfle i'w anfon am ddyrnodiau. Ysgrifennais innau ragor atto, ac anfonaf y cwbl gyda Bartolo mab Sergio Velazquez.

Buom ein tri yn nhŷ Don Perez a galwasom yn yr ysgol ar y ffordd yn ôl, i edrych a oedd ynte eisiau rhywbeth oddi lawr. Nid oedd angen dim arnynt. Yna, wedi swpera aethom i lawr i'r Chalet rhag ofn i Bartolo gychwyn yn fore yfory.

Iau 30
Wedi 'churascear' [bwyta; darn o gig fel arfer] aethom o amgylch y llyn i geisio cael golwg ar ddwrgi - 'nutria'. Hoffwn yn arw gael pâr i fyned i lawr gyda mi. Gwelais Bartolo ac addawodd drosglwyddo'r llythyrau cyn gynted ac y cyrhaedda i lawr. Cefais amryw o 'magazines' gan Will Tindell.

Aethom i Graig y Nos erbyn cinio a chychwynasom oddi yno tua un o'r gloch. Gwelsom amryw o estrysod yn yr un fan ac o'r blaen, ceisiwyd saethu rhai, ond methiant fu'r cwbl. Saethwyd at amryw o wanacos a lladdasom un yn ymyl y 'puesto' isaf, wedi rhedeg nes agos ffaelu, a saethu rhyw bymtheg o fwledi. Codasom beth o'r gig i'r cŵn.

Cawsom 'binchaso' [twll yn y teiar/pyncjar] cyn cyrraedd, y cyntaf a gawsom er cychwyn oddi adref, a dim rhyfedd a chysidro y fan y croeswyd i [n]ôl y cig.

RHAGFYR 1933

Gwener 1
Tywydd braf, tynasom 'carburador' y *Ford* y bore yma ac ni wnaethom fawr o ddim arall.

Sadwrn 2
Diwrnod poeth. Cawsom ein tri fyned allan i weled y camp gyda Martin, dipyn o drafferth i gael gêr i bawb, ond llwyddasom, rhwng yr ychydig yr oeddwn i wedi ddyfod a rhyw ddarnau eraill. Caeron a minnau ar gefn bob i 'dordillo' [*tordillo* - ceffyl brith] a Hefin ar boni bach 'zaino' [ceffyl brown tywyll].

Aethom heibio 'puesto' Juan de Dios i weled y 'chatas' [faniau], ys dywedodd Martin, ac yna i lawr i Bwll y Diawl. Gwelais un 'piche' [dulog; *armadilo*] mawr, a daliais un arall hynod o fach, a deuais ag ef adref i'r plant. Dofodd ar unwaith fel petai wedi hen arfer â phobol, yfai laeth, a chysgai dan y stôf gyda'r cathod. Y mae Hefin wedi blino ar ôl y daith, a minnau ychydig. Nid yw cŵn Martin yn gweithio yn dda iawn.

Sul 3
Nid wyf yn teimlo yn rhyw dda iawn. Ein tri wedi diogi trwy'r dydd, ni chredaf i mi erioed gysgu cymaint mewn diwrnod. Dihangodd y 'piche' heddiw, biti garw.

Llun 4

Aeth Martin a'r mab Ramon i lawr i dŷ Apolonio i ôl y 'lienzos' [sgwariau mawr o ddefnydd bras i gadw gwlân ar ôl cneifio] ac ychydig o nwyddau. Bûm innau yn tacluso ychydig ar y 'manijas'. Gwlawiodd gawod drom amser siesta ac y mae wedi oeri. Dechreuais ddysgu Fraulein i 'gwcho' ['cwtsho'?] ddoe.

Mawrth 5

Cawsom gawod y pnawn yma etto, ac y mae'r gwynt yn dal yn oer. Rhoddwyd y peiriant i weithio a tacluswyd y mân bethau o'i chwmpas. Credaf fy mod wedi sicrhau tri o gneifwyr gweddol dda. Manteisiaf, tra mae yn fy nghof i nodi faint o 'nafta' a ddefnyddiwyd ar y daith: Gaiman i Ddôl y Plu, ryw ugain liter, a gweddill y daith ryw un a deg ar hugain sef y cyfanswm o un a deg a deugain (51 ltrs) eithaf rhesymol credaf, a chysidro cyflwr y llwybrau.

Y maent yn godro pedair o wartheg yma, ac yn cael o wyth i ddeg ltr. o laeth, ac y mae yma lo wedi tynnu ei goes o'i lle, ond yn prysur wella. Golchais ychydig o gadachau ac hosanau.

Mercher 6

Diwrnod o wynt, ac yn tueddu i fod yn oer. Cyrhaeddodd Martin yn ei ôl o'r Rhyd. Cafodd ef y 'lienzos' yr oeddwn i i fod i'w cael gan Apolonio. Daeth ag ychydig o nwyddau i'r tŷ, ac yn eu plith, pêl i'r plant, ac fe'r oedd yma helynt yn ei chylch. Buom yn ymarfer ychydig â'r peli ac yn chwarae dipyn y pnawn yma. Buasem wedi cneifio ychydig, er rhoddi praw ar y peiriant, dan ei llawn lwyth gyda'r cneifwyr i gyd ar waith, ond argaela am dywydd drwg, ac yna fe achosid i'r defaid ddioddef, a hwythau heb fod mewn cyflwr da, trwy fod y camp yn sych. Clywodd Martin fod y gwlân yn parhau i godi.

Iau 7

Y mae wedi chwythu yn gryf, ac wedi bod yn gymylog, diwrnod ofnadwy i deithio.

Daeth yma ddau ddyn mewn 'camión' *Ford* y pnawn yma, 'camión' o´r math caeedig fel 'ambulance', a holai un ohonynt am enw y perchennog, a rhoddais enw Mam iddo, ac yna dychwelodd ar unwaith; nacaodd ddisgyn.

Cymerais 'walk' o gylch y cae, a manteisiais ar y cyfle i roddi ychydig o wersi i'r ast.

Galwodd Lewis Dimol yma ar ei ffordd i dŷ Don Perez; gwelais ef o hirbell yn unig, ni chefais gyfle i'w gyfarch.

Buom yn ymarfer ychydig ar bêl-droed, pan arafodd y gwynt ychydig, ar fin nos. Disgwyliaf weled rhywun yn cyrraedd oddigartref, o hyn ymlaen. Cawsom bwdin reis i ginio.

Gwener 8

Chwythodd yn gryf ac yn oer agos trwy'r dydd heddiw. Rhoddwyd prawf ar y peiriant, gyda'r cneifwyr i gyd ar waith, sef pump, credaf y bod ganddi ddigon o nerth (er ei bod yn colli 'compresión') i weithio'r cwbl pan ddaw yr 'extras' i ni osod y chwech. Dysgais wneud 'bomba' o bleth tair heddiw.

Lladdwyd llwdn, er cael ei groen i wneud llinynnau i glymu'r defaid pan yn ei cneifio; cneifiwyd ef cyn ei ladd.

Sadwrn 9

Gwawriodd ychydig yn brafiach y bore yma, a pharhaodd felly agos trwy'r dydd.

Rhoddai Don Perez 'aparte' [gwahanu defaid ac ŵyn], a bu Martin yno, ac y mae'n debyg iddo orfod gweithio yn o galed yno, ac y mae wedi dychwelyd a hwyliau drwg arno. Dywedodd wrthyf y prydnawn yma nad oedd yn mynd i gasglu y praidd hyd yr 18, ond cawn weled hynny pan ddaw Mam i fyny. Disgwyliaf hi pob munud a dychmygwn weled modur yn dyfod i fyny'r hafn yn aml iawn, ond wedi hir syllu, a gofyn barn rhywun arall, a syllu eilwaith try'r smotyn a welwn i fod yn geffylau, twmpath, neu ddychymyg. Hoffwn yn arw gael bod adref erbyn Eisteddfod Trelew, yr 22, ond ofnaf mai amhosibl fydd hynny.

Dywedodd Victor wrthym y bore yma ei fod wedi gweled dau lwynog llwyd a thri o rai bach, ac wedi eu gwylio yn chwarae am ychydig, gwaeddodd, a dihangodd y rhai bach i dwll, yna caeodd yntau hwy i mewn gyda cherrig.

Y prydnawn yma aethom ni ein tri, gyda dau fachgen Martin, gyda chaib ar ein hysgwydd i chwilio amdanynt (roedd Victor wedi myned i'r camp) a heb fawr drafferth, cafodd Caeron hyd i un o'r rhai mawr wrth ymyl ei ffau, a saethodd atto, ond dihangodd yn iach, yna aethom ati i agor y twll, minnau yn paratoi am awr neu ragor o waith, ond ymhen pum munud roedd y rhai bach yn y golwg, a Caeron yn dawnsio o falchter, yna rhoddodd ei law i mewn gyda'i gôt amdani, a thynnodd y ddau gyntaf, y cyntaf i mi a'r ail i Hefin, yn rhwydd, ond pan geisiodd dynnu y trydydd, fe'r oedd yn rhy gul iddo fedru rhoddi ei law gyda'i gôt, felly rhoddodd ei law yn noeth, a brathodd y llwynog bach ef trwy ei ewin, ond llwyddodd yn y diwedd i afael yn ei ben, a'i dynnu allan, cyn gynted ac y'i tynnem, clymem eu safnau rhag iddynt ein brathu. Pan dychwelem canlynai y fam ni ar yr ochr arall i'r hafn gan gyfarth neu weiddi, saethodd Caeron ati amryw o weithiau. Wedi dychwelyd i'r tŷ, gollyngodd hwy yn rhydd yn yr ystafell, ac aethom ati i wneud cwt iddynt a'r fan honno y byddant heno.

Sul 10

Diwrnod braf iawn. Codasom y foreuach nag arfer y bore yma, a thua hanner awr wedi naw, cychwynasom am gartref Don Peres, fe'r oedd gennyf i geffyl bach 'overo' [ceffyl broc; du gyda smotiau mawr gwyn] oedd raid bod yn neilltuol o gyflym i fyned ar ei gefn, a chyrhaeddasom yno pan oedd y 'señalada' [diwrnod nodi, sbaddu a thorri cynffonnau] ar ddiweddu, a chawsom 'asado cordero' [cig oen rhost] yna dychwelwyd yng nghwmni Martin, gyda rhif fechan o ddefaid.

Y mae'r llwynogod wedi dofi gryn dipyn heddiw, dau ohonynt wedi cael mynd am dro, ond gadewais i fy un i yn y bocs. Y mae Caeron braidd yn frwnt hefo nhw ac y mae wedi gwneud tsain gyda wifren brês i'w lwynog.

Tebyg yw na chyrhaeddith Mam yma bellach hyd ddydd Mercher, canys y mae yn debyg na ddarfu gychwyn ddoe nac heddiw.

Helynt garw gyda'r llwynogod.

Oen wedi ei 'asar' [rhostio] i swper.

Llun 11

Dyma'r dyddiad yr oeddwn i wedi ei benodi i ddechreu cneifio ond yn ôl pob argoel bydd raid disgwyl wythnos arall. Peth goreu fe allai fyddai i mi fyned i lawr gyda 'camión', gan nad yw aros yn y fan yma, i wneud i'r amser fyned heibio goreu fedraf a cymaint o bethau eisiau ei gwneud adref ddim yn talu.

Fe allai ddigwydd i Mam fod heb dderbyn fy llythyr, ac yn parhau i ddisgwyl newyddion oddi wrthyf, a felly y mae, ni allent ddyfod â'r darnau i'r peiriant a gorau o lawer byddai i mi fyned i lawr ar frys.

Credaf y gallaf adael Caeron a Hefin yma, yn burion yn fy lle i wneud yr hyn fydd eisieu ei wneud yn fy absenoldeb. Os digwydd i ni fyned heibio ein gilydd ar y ffordd, heb gwrdd, ni fydd hynny o lawer bwys canys ni fydd fy angen i'r cneifio, ac os cwrddwn, wel, goreu i gyd.

(Prydnawn) Dyma fi wedi cyrraedd i'r Pajarito, a Caeron a Hefin wedi myned yn eu holau yn y Fordyn.

Wedi siarad â Martin, penderfynais mai cychwyn fyddai orau i mi a pharatoais ar un waith. Pan oeddym yn dringo i fyny'r trip [llwybr creigiog ar y paith] sydd y tu ôl i'r 'puesto' uchaf, stopiodd y modur, gan fod y tir yn rhy serth i'r 'nafta' redeg i'r peiriant. Wedi meddwl am chwythu'r 'tank' ac amryw bethau eraill, penderfynasom ei wthio, methasom a cychwynnodd y modur ddianc yn ei ôl; bron i Caeron syrthio oddi tano ond gallodd neidio o'r ffordd. Neidiais innau i fyny ar yr ochor, ac oddi yno i'r sedd, ond wrth wneud hynny gafaelais yn ochr y gwydr, rhwng hynny ar 'jerk' malodd rhan isaf y gwydr yn yfflon. Llwyddais i daro fy nhroed ar y brêc yr un pryd, rhwng hynny a'r tro a roddodd trwy ryw drugaredd arhosodd heb wneud dim mwy o ddifrod. Wedi dod ychydig ymhellach cawsom 'binchaso' ['pinchaso'] ac fe'r oedd y gwres yn llethol.

Wrth 'bwesto' ['puesto'] Mansilla gwelais yr hen ŵr Juan Luis, a siaredais ychydig eiriau ac ef.

Galwasom mewn tŷ arall, i holi am y llwybr, yna aethom heibio tŷ Juan Secca ac ymhen dipyn wedyn cyraeddasom y fan yma. Gwelwn y ffordd yn hir iawn.

Y mae'r ffawd yn fy erbyn heddiw. Y mae tri modur wedi myned heibio, a 'chamión' ['camión'] y tŷ yma wedi cychwyn ers ryw hanner awr cyn i mi gyrraedd. Digon prin y medr y bechgyn gyrraedd yn ôl heb oleuo'r lampau.

Daliasom armadilo cyn cyrraedd y fan yma.

Yr wyf wedi cael pedwar croen gwlanog i wneud fy ngwely.

Mawrth 12

Boreu. Tŷ taclus a glân y tu mewn, ond pur wahanol y tu allan ac eithrio yr ardd, fel mwyafrif o dai y latiniaid, ydyw y tŷ yma.

Cododd Br Fernandez brawd Braulio yn gynnar ond am y merched, credaf fod cwsg yn pwyso yn drwm arnynt hwy, ac fe'r oedd wedi deg arnaf yn cael brecwast. Daeth amryw o 'troperos' [porthmyn] yma y boreu yma.

Fonsecca ydyw'r enw cywir nid Juan Secca.

(Prydnawn) Cefais giniaw da gyda glasiad o win a phwdin. Ychydig cyn ciniaw, cyrhaeddodd llythyr Emilio Agerich yma ac anfonaf lythyr i Caeron gyda dau arall a dderbyniais iddo ddoe, yn union ar ôl iddo gychwyn oddiyma, cerddais i ben bryn bychan gan feddwl cael golwg arnynt yn myned i fyny'r trip, ond ofer fu hynny.

Cefais siesta yng nghysgod y tŷ 'nafta', ac yn ystod hynny aeth modur heibio, credaf mai o Trelew i 'Cichaura' yr elai, mynd â'r plant o'r ysgol y mae'n debyg.

Aeth y 'post' heddiw, ond gwell oedd gennyf ddisgwyl am 'gamión' [camión] arall fydd yn teithio yn gynt.

Cyrhaeddodd dau fodur yma, holais un ohonynt am

Mam ond nid oedd wedi gweled dim yn debyg i'r *Dodge*. Y mae'r llall yn aros yma heno, a ninnau hefyd y mae yn debyg.

Aeth 'camión' rhyw Dwrc bach heibio ond fe oedd yn myned i aros tri neu bedwar diwrnod yn y Gwanaco.

'Corredor' [masnachwr teithiol] gydag enghreifftiau o lawer o gyllyll a phethau o'r math yw'r gŵr sydd yn aros yma heno. Y mae gennyf awydd garw fyned yn ôl i'r Primavera, a mynd yn y *Ford*.

Mercher 13

Codais yn foreu a chefais gwpaned o laeth, a chychwynnais am dŷ Fonsecca ar fy nhraed. Gofynnais am geffyl yn y Pajarito ond nid oeddynt am fenthyca yr un.

Cefais 'oscuro' [ceffyl brown tywyll ei liw] bach da yn lle Fonsecca, ac fe'r oeddwn yn y Primavera erbyn 10.30. Cychwynnais o'r Pajarito am 7.

Bwriadwn gymryd y *Ford*, a myned i lawr ar un waith gyda Hefin, a bod i lawr erbyn toriad y wawr boreu yfory. Ond pan gyrhaeddais yma, fe'r oedd yma lythyr yn fy nisgwyl, oddi wrth Uriena, yn dweud eu bod wedi derbyn yr un a anfonais i, ac yn bwriadu cychwyn y dyddiau yma, ac felly nid oedd angen i mi fyned lawr wedi'r cwbl.

Bwriadaf fyned â'r ceffyl a fenthycais yn ei ôl yfory, a myned i'r Pajarito, yr un ffordd, i gael gweled os bydd y 'patrones' wedi cyrraedd, canys yn syth yno y maent yn bwriadu dod.

Aeth Lewis heibio y prydnawn yma, ar ei ffordd i 'aparte' yn lle Montesino.

Y mae wedi chwythu y prydnawn.

Y mae Hefin â phoen yn ei fol.

Brathodd y llwynog fi am y tro cyntaf. Y mae un Caeron

Fred gyda'i geffyl

wedi ei frathu ef, amryw o weithiau. Yr wyf wedi dechre gwneud 'bozal' [safnrwym] iddi.

Iau 14

Codais gyda'r wawr y boreu yma, ac wedi cael ceffyl, a bwyta platiad o 'mazamorra' [india corn mâl wedi ei ferwi mewn llaeth a siwgr], cychwynnais am dŷ Don Juan Fonsecca, i ddychwelyd y ceffyl a gefais, ac yna yn fy mlaen i'r Pajarito i edrych a oedd Mam wedi cyrraedd. Ychydig o fy mlaen cychwynnodd Caeron i Graig y Nos i gywiro 'ripper' yno i Lewis.

Cychwynnais i tua saith, ac ni fûm ond rhyw ddau funud yn nhŷ Don Juan, ac fe'r oedd wedi deuddeg arnaf yn cyrraedd Pajarito.

Daliais armadilo ar y ffordd a bwytais ef i ginio, wedi ei

grasu yn y tân, braidd yn amrwd ond pasiodd rhan ohono i lawr gydag ychydig o fiscits a brynais yn y stôr.

Prynais bâr o 'zapatillas' [esgidiau ysgafn] i Hefin a drofas[?] i Luis, brawd y wraig yma.

Pan oedd yr haul y weddol isel cychwynnais yn ôl am adref a chyrhaeddais pan oedd yr haul yn machlud ymhen ryw ddwyawr a hanner. Credaf fy mod wedi gwneud y daith agos mor gynted ag mewn modur.

Yr wyf yn flinedig iawn.

Gwener 15

Buais yn gwneud 'muzler' i'r llwynog y boreu yma. Ar ôl cinio dechreuais baratoi y modur i fyned i'r Pajarito unwaith eto, i edrych a oedd y bobol yna wedi cyrraedd. Daeth Hefin gyda mi yn y modur.

Gyrrodd Martin, Luis i'm cynorthwyo y tro yma, a daeth yntau ar gefn y 'chata'[?] bach, a chan fyned ar i nôl a'r ceffyl i'm cynorthwyo, llwyddasom i ddringo gydag ychydig drafferth.

Yr ydym wedi gwneud 'campin' [gwersyll] ger yr 'aguada' [llecyn gyda ffynhonnell dŵr]. Teimlaf ddipyn yn stiff.

Sadwrn 16

Teimlwn yn bur sâl ac annifyr y boreu yma, ac yr wyf bron â bod yr un fath y pnawn yma eto. Cysgais yn anesmwyth iawn neithiwr. Y bobl yna byth wedi cyrraedd. Diwrnod poeth iawn. Amryw foduron wedi myned heibio.

Sul 17

Diwrnod poeth iawn eto. Teimlaf ychydig yn well, ond eto braidd yn stiff, a dolur yn fy ngwddf.

Prynsom ychydig reis a siwgr a daliasom afr, a chawsom ychydig laeth, a pharatoesom fath ar bwdin. Cysgasom siesta, ac yna aethom i lwytho'r 'nafta' a manylion eraill Martin erbyn y cneifio. Nid yw Braulio byth wedi cyrraedd i ni gael olew, ond llwyddasom i gael ychydig o beth budr gan y brawd yma, yna cychwynnwyd, ac wedi i ni gyrraedd i ben y trip cyntaf, pwy oedd yn ein cwrdd wedi i ni aros am ychydig i edrych dros y pant, ond Caeron. Roedd y ceffyl ac yntau wedi blino yn amlwg, canys yr oeddynt wedi canlyn y llwybr er mwyn ein cwrdd os y digwyddem deithio. Dywedodd wrthym fod Mam a Chris wedi cyrraedd ymhen awr neu ddwy ar ôl i ni gychwyn o'r Primavera, ac wedi iddo gael tamaid o gig oedd gennym ar ôl, ail gychwynasom ond efo yn union yn groes i'r camp y tro yma.

Cawsom ddipyn o drafferth ar drip Fonsecca. Dangosodd y boss 'derecho' [y cyfeiriad cywir?] i ni, a chyrhaeddom yr 'aguada' ddofn yr un pryd â Chaeron. Cymerais innau ei geffyl i fyned oddi yno ymlaen a chyraeddasant hwythau ychydig o fy mlaen.

Gweloddd Mam nhw yn cyrraedd hebddo fi, a chafodd ddychryn, ac aeth i lewyg, a bu yn o ddrwg.

Rhaid i ni symud ein gwersyll heno. Yr wyf fi yn bwriadu cysgu i fyny yn ymyl y chwarel a'r bedd bach.

Llun 18

Gorfu i ni ail osod y peiriant y boreu yma, canys dywedai y 'profesionals' ei bod yn rhy uchel. Cymerasom gryn drafferth i'w raddio, a chredaf ein bod wedi llwyddo.

Yr oedd popeth yn barod i weithio am unarddeg, ond gwell gan y cneifwyr oedd disgwyl, a ddechreu yn y pnawn.

Cawsom ddechreu tua un o'r gloch, ac ychydig o drafferth gan fod y belt yn slacio, a'r pwmp dŵr ddim yn gweithio yn dda iawn.

Terfynwyd y gwaith tua hanner awr wedi saith.

Mawrth 19
Cawsom ychydig drafferth gyd rhai o'r 'manijas' a gorfu i ni gymryd 'estribera' [stribyn lledr sy'n dal gwarthol] i wneud belt i'r pwmp dŵr y boreu yma, ond gweithiodd pethau ddipyn yn well y pnawn yma.

Yr wyf yn cael hwyl dda ar y minio [hogi], ac yn plesio pawb ond Victor a Caeron. Yr wyf yn anghytuno â'r diweddaf yn y modd i finio, ac yn gwneud y gwaith fy hunan, ac y mae yn ddrwg iawn ei hwyliau o'r achos.
Y mae wedi bod yn ddiwrnod braf iawn.

Mercher 20
Teimlaf yn bur sâl eto heddiw.
Y mae'r gwaith wedi bod yn dda, ac eithrio y drafferth yr ydym yn gael ag un 'manija'. Nid wyf wedi minio cystel heddiw.

Yr ydym heb 'fluid' i wella briwia'r defaid.

Daeth un tal (Fernandez) yma gyda dosbarthwr gwlân Lahusen, a chynigient $10.40 am y gwlân wedi ei osod yn Trelew, a gwrthodasom gan ddisgwyl cael gwell. Fe'r oedd masnachwr Box Gin gyda hwy, yn dangos y ffordd iddynt.

Iau 21
Methwyd â gweithio y chwarter cyntaf, sef o bump hyd saith o'r gloch, oherwydd ei bod wedi gwlawio neithiwr, a'r defaid heb sychu. Deffroais i y boreu yma a fy mhen a'r dillad o

gwmpas fy mhen i gyd yn wlyb, ac eto nid oeddwn wedi teimlo dim oddiwrth y gwlaw a'r taranau.

Gweithwyd y gweddill o'r dydd yn ddidramgwydd ac yr wyf wedi llwyddo i gael gair da fel minwr. Y mae Hefin yn gweithio yn godwr gwlân ac y mae wedi blino.

Caeron mewn dipyn gwell hwyliau ac yn cael bywyd tawel pan weithia'r peiriant yn gywir.

Bu Mam a minnau yn nhŷ Perez, yn menthyca ychydig 'fluid'. Siaradasom ychydig â'r athraw wrth fyned heibio. Daeth Nelida am 'baseo' ['paseo'; mynd am dro] gyda ni.

Gweithiais am ychydig fel daliwr.

Y mae wedi bod yn chwythu yn oer.

Gwener 22

Dyma ddyddiad Eisteddfod Trelew, a minnau yn gorfod bod yn bell oddi yno, ac eto gobeithiaf lwyddo i gael gwobr ar y darlun pwyntil. Y mae Lin Arnold yn cael myned â gwobr y brif adroddiad yn ddidrafferth, y mae'n debig.

Biti garw i io[?] golli 'camión' Braulio y diwrnod o'r blaen.

Rhoddais fy llwynoges fach allan i awyro ychydig. Y maent yn cael bod gyda ychydig o sylw yn ddiweddar, a'r prysurdeb mawr yma.

Yr ydym wedi cael diwrnod da iawn gyda'r peiriant, yr unig helbul oedd bod cyllyll yr Oriental yn dadfinio yn rhy fuan, ond cywirodd Tomayo hynny heno.

Clywodd Caeron yr Indiaid yma yn siarad eu hiaith y boreu a chefais y newydd fod yna deulu o gripars yn byw arnynt; neb wedi cetsio eto.

Y mae yma Indianes o'r enw Margarita, gwraig i ddyn y mae Martin wedi ei garcharu am ddwyn defaid, yn dod yma i droelli gwlân. Y mae yn ddiddorol iawn i'w gwylio gyda'r droell fach gyntefig.

Mae yn bur gymylog.

Cneifiodd yr Oriental 99 o ddefaid.

Sadwrn 23

Wedi bod yn stormlyd braidd trwy'r dydd, ac wedi gorfod gadael y gwaith ddwy waith oherwydd y gwlaw.

Ymwelodd yr athraw â ni, y tro cynta iddo weled peiriant cneifio mewn gwaith.

Dihangodd fy llwynoges yn ystod yr amser, a buais yn chwilio amdani gyda Ramona ac Agustin, y diweddaf ar gefn 'manchao' [ceffyl brith] Awen. Meddyliwyd ein bod wedi cael ei thrac un waith ond methwyd ei chael. Gwelodd y merched yma hi yn rhydd o gwmpas yr ardd, a buais innau wrth y ffau lle y cawsom hi. I ddianc, torrodd 'link' y tsain wifr brês a wneuthum i iddi ddoe.

Y mae Margarita yma yn nyddu ei goreu glas, a hwyl garw am fy mhen i yn cymryd diddordeb yn y gwaith.

Derbyniais lythyr oddi lawr oddi wrth Mam, wedi ei anfon gryn amser cyn iddi gychwyn.

Credaf fod Hefin yn hiraethus am adref. Bwriadwn fyned i'r Pajarito fory.

Sul 24

Sul annaturiol iawn i mi, fel pob Sul arall ar hyd y lle yma, o ran hynny. Brys mawr yn y boreu i baratoi y modur, mesur gweddill y 'nafta' oedd yn y tank, chwilio am duniau gwag 'ac felly yn y blaen'. Cael ceffyl i'n cynorthwyo i fyny'r allt, a'i dringo ar i nôl fel arfer.

Daeth Hefin gyda mi, ar y bwriad o fyned adref, os câi gyfle ar 'gamión' ['camión'], ond wedi cyrraedd i'r Deryn

Bach ni welwyd yr un fel arfer, pan bo'i hangen.

Wedi prynu yr angenrheidiau a chael pryd o fwyd, cawsom siesta, ar pisyn o 'arpillera' [defnydd bras i gadw gwlân ar ôl cneifio] yr oeddwn wedi ei geisio am 0.35 cent y llathen. Yna tua chwech o'r gloch cychwynasom yn ein holau, a chawsom gryn drafferth ar y ffordd. Gorfu i ni dynhau y 'primera' [gêr gyntaf] a newid yr olwyn, neu ran ohoni beth bynnag.

Saethais at estrysen. Dywedai Hefin fy mod wedi ei thrawo, ond dianc ddarfu hi.

Gwelsom estrysen ag ugain neu ddeg ar hugain o rai bach, y gyntaf i mi gofio ei gweld.

Cyraeddasom yn ôl yn flinedig tua machludiad haul.

Cafodd Caeron ei daflu oddi ar geffyl perthynol i Victor.

Llun 25
Dydd Nadolig ac eto mor annhebyg.

Gweithiasom trwy'r dydd. Cawsom ychydig helynt gyda'r cneifwyr, ynglŷn ag amser gwaith tua canol dydd, ond buan y tawelwyd pethau. Gollyngwyd ryw awr yn gynt nag arfer yn y prydnawn, a chawsom bwdin i ddathlu'r diwrnod.

Buom yn chwarae ychydig ar y bêl-droed.

Cysgaf i lawr wrth yr ardd y nosweithiau diweddaf yma.

Gweithia Fraulein gystel â chŵn cyffredin y lle yma, ond nid yw hynny fawr gan ... [Diwedd]

Heddiw-ddydd ym Mhatagonia
(*o* Fferm a Thyddyn, *Gaeaf 1995*)

Tra oeddwn i yn mwynhau y gwres tanbaid a geid yng Nghymru yn ystod yr haf roedd Patagonia yng nghanol ei gaeaf a hwnnw y gaeaf caletaf a gaed ers llawer o flynyddoedd.

Mae talp anferth o rew – tebyg o ran maint i Ben Llŷn – wedi ymollwng i gyfandir Antartica eleni ac yn symud yn araf i gyfeiriad Ynysoedd y Malvinas. O ganlyniad mae'r tir a'r môr wedi oeri.

Pan ysgrifennai Eluned Morgan am Batagonia ar ddechrau'r ugeinfed ganrif roedd rhew ar fynyddodd yr Andes trwy gydol y flwyddyn ac roedd gaeafau celyd yn gyffredin ond erbyn heddiw mae'r hin wedi cynhesu a'r rhew wedi diflannu. Gwlad sych yw Patagonia ac yn yr un cyfnod, sef ar ddechrau'r ugeinfed ganrif, rhan bwysig o waith gweision ar y tir fyddai mynd i wahanol leoedd efo trosolion a morthwylion i dorri'r rhew i sicrhau dŵr i'r anifeiliaid. Oni bai am y dŵr o dan y rhew buasai'r anifeiliaid yn marw o syched.

Byddai gennym ni gynt lyn i gadw dŵr yn y gaeaf fel y gallem fynd yno efo trosolion i dorri'r rhew ond testun difyrrwch i blant Cwm Hyfryd heddiw yw adrodd hanes y rhew hwnnw ac ni chredant fod y fath beth wedi digwydd.

Yn anffodus gorfu iddynt wynebu'r broblem eu hunain eleni ond prin oedd y gweithwyr y gellid eu hanfon i dorri rhew gan fod y gweision a arferai weithio ar y ffermydd bellach wedi ymfudo i'r trefi a'r dinasoedd.

Nid ydynt ychwaith wedi arfer bwydo'r anifeiliaid yn y gaeaf. Mae'r defaid *merino* wedi addasu ar gyfer y wlad ac yn byw ar ychydig iawn o borfa a thwmpathau drain. Y mae'r ceffylau hwythau yn gelyd eu traed ac yn gelyd eu harferion bwyta. Y *ñato* sydd â thrwyn fflat fel ci tarw yw'r brid hwn ac un o'r ceffylau hyn a alluogodd John Daniel Evans i ddianc rhag ei erlidwyr yn 1885.

Gan fod y rhew wedi diflannu oddi ar y mynyddoedd erbyn heddiw mae'r dŵr wedi prinhau yn yr afonydd ac oherwydd bod llai o ddŵr mae llai o adar – llai o elyrch, llai o fflamingos, gwyddau gwylltion a chwid. Aderyn arall sydd wedi prinhau acw yn y Wladfa yw'r wennol. Dau bâr yn unig a welais i eleni. Aethant i'w hen leoedd i nythu ond ymhen dau neu dri diwrnod yr oeddent wedi mynd ac rwy'n meddwl mai prinder pryfed oedd i'w gyfrif am hynny. Ar y llaw arall, mae rhai mathau o adar wedi cynyddu, er enghraifft y gornchwiglen (y *tero-tero* yn ôl y Lladinwyr).

Fred Green, Trevelin, Chubut, Argentina

Ffarmio yn y Wladfa
(*o* Fferm a Thyddyn, *rhif 8, 1991*)

Pan oedd Brian, fy ŵyr, a minnau yn ymweld â Chymru yn ddiweddar, crwydrasom yn helaeth, o Fôn i Fynwy, a chawsom ein plesio'n fawr yn yr hyn a welsom ar y tiroedd yna – y ffermydd yn gynhyrchiol iawn, yr anifeiliaid o fantioli ac ystad neilltuol o dda a hyn i gyd yn peri i mi wneud ychydig nodiadau i gymharu yr hyn sydd ganddon ni yn y Wladfa â'r hyn a welir yna.

Mae tir gwahanol iawn yn rhan isaf y Wladfa o gymharu â'r rhan uchaf. Yn Nyffryn Camwy y mae pob mymryn o dir sydd yn cael ei ffarmio yn y fan honno yn cael ei ddyfrhau a'r dull o ffarmio yn hollol wahanol i'r rhan uchaf. Ond i ddeall hynny mae'n rhaid sôn am yr hen Wladfawyr yn cyrraedd i'r Dyffryn yn 1865.

Methiant fu'r ffarmio am y ddau dymor cyntaf gan fod y tywydd yn rhy sych. Roedd hynny yn achos prinder mawr ymhlith y Gwladfawyr a phenderfynasant ymadael. Darbwyllodd y llywodraeth hwy i aros am dymor arall gan estyn cymorth iddynt, yn fwyaf neilltuol gyda bwydydd gan obeithio y llwyddai'r cynhaeaf y drydedd flwyddyn. Roedd Aaron Jenkins, un o'r gwladfawyr blaenllaw, wedi hau rhyw fymryn o dir ac wedi gweld eginio gwenith yno ond ymhen ychydig dechreuodd y gwenith grino oherwydd y sychder. Un dydd Sul sylwodd ei wraig fod dŵr yr afon yn uwch na lefel y tir yr oedd ef wedi ei hau. Dywedodd wrth ei gŵr am

Gwili, Vera a Fred (1993)

geisio agor ffos o lan yr afon a dyfrio'r tir. Ac felly y bu.
Ymhen ychydig ddyddiau cafwyd bod y cnwd wedi glasu.
Dim ond rhyw unwaith yn ychwanegol y bu'n rhaid ei
ddyfrhau y tymor hwnnw a chafwyd cynhaeaf toreithiog. O
hynny ymlaen roedd pawb yn gobeithio cael cae yn ddigon
agos i'r afon i gael y dŵr i lifo iddo. Dim ond rhaw fach a
chaib oedd ganddyn nhw i wneud y gwaith o dorri ffos o'r
afon.

Yn ddiweddarach gosodwyd argae yn uwch i fyny'r afon
i gronni arwynebedd y dŵr er mwyn iddo lifo i'r ffosydd, ac
o dipyn i beth ffurfiwyd rhanbarthau ymysg y ffermwyr i
dorri'r ffosydd ac i gludo dŵr iddynt. Ond y tiroedd isaf yn
unig oedd yn cael eu ffarmio yn ôl y trefniant yma.

Yn nes ymlaen, wedi colli sawl argae i'r afon, fe ymunodd
y cwmnïau rhanbarthol bychain â'i gilydd i dorri ffos o ben

ucha'r Dyffryn ac yna sicrhau dŵr bron yn ddi-baid.

Yn ddiweddarach daeth angen rhagor o ddŵr a bu'n ofynnol iddynt godi argae o gerrig ar yr afon.

Llwyddwyd i allforio'r grawn ac enillwyd gwobrau amdano yn Unol Daleithiau America ac yn Ffrainc a hynny pan oedd gwir angen amdano – pan oedd cludiant yn anodd ac yn ddrud, llongau ddim yn cyrraedd a phrinder blawd a phrinder nwyddau.

Disgrifia'r englyn hwn y gobeithion:

Proffwydoliaeth Batagonaidd

Mae'r glodfawr Gymreig Wladfa – wedi gwel'd
    Gwaelder yn ei gyrfa:
    Ond, cyn hir, gwelir Gwalia, – dan fendith,
    Yn bwyta gwenith o Batagonia.

Tudno
(o *Pigion Englynion Fy Ngwlad II*, I. Foulkes, Lerpwl, 1882)

Mae'r ffarmio yn yr Andes – yng Nghwm Hyfryd – yn debycach i beth a wneir yna ond mae'r tywydd yn wahanol iawn. Rydym ni'n cael llawer o dywydd sych yma hefyd, yn neilltuol yn yr haf ac fel mae waetha'r modd, mae'r sychder yn cynyddu oherwydd ein bod wedi colli llawer o goedwigoedd trwy dân. Mae tanau wedi llosgi'r mwyafrif o'r coedwigoedd y mae Eluned Morgan wedi eu disgrifio mor llachar yn *Dringo'r Andes*. Erbyn heddiw mi ellwch fynd yn hwylus ddigon ar droed neu ar geffyl neu mewn modur ar hyd y tiroedd lle bu hi yn ymdrechu trwy goedwigoedd. Mae hynny'n dangos bod y tywydd yn newid ac ansawdd y tir wedi ei dlodi.

Roedd anghenion y Cymry yn ystod y blynyddoedd cyntaf yma yn yr Andes yn eu gorfodi i godi gwenith i gynhyrchu blawd er mwyn cael bara a chynhyrchion eraill. Roedd hynny'n golygu bod y ffermwyr yn gorfod clirio tiroedd; hau eu gwenithau; eu cynaeafu nhw a gosod melinau i falu ac i wneud y blodiau fel y gwnâi'r Gwladfawyr ar y dyffryn isaf ar y Chupat.

Rydym ni'n dibynnu ar law y gaeaf a'r gwanwyn a dyna yw'r tymhorau y bydd hi'n glawio. Hafau sych a gawn ni – nid fel yr hafau rwyf wedi eu cael yna yng Nghymru! Oherwydd hynny tuedd y wlad ym Mhatagonia yw bod yn ddiffaith sy'n golygu bod ffarmio yn hollol wahanol rhwng Cymru a'r Wladfa. Mae hynny'n arwain, wrth gwrs, i'r ffaith bod yr anifeiliaid a fegir acw yn arafach yn eu tyfiant ac, yn wir, y defaid heb fod yn ffafriol i gynhyrchu cig, ac felly y rhywogaeth a fegir acw yw'r *Merino*. Dafad fechan yw'r *Merino* sydd yn galed iawn i ddal tywydd ac mae pob blewyn o'r gwlân yma yn neilltuol o fain ac yn ffafriol iawn i wneud defnyddiau gwerthfawr ffasiynol – gwlân o ddefnyddiau tenau iawn, ac felly mae pris arno. Dyna'r ddafad sydd yn medru byw ar dir diffaith fel sydd ganddon ni ym Mhatagonia. Mae hynny'n gwneud byd o wahaniaeth. Fyddwn ni ddim yn magu'r defaid er mwyn eu cig: mi fyddwn ni'n cadw'r defaid er mwyn eu gwlân.

Mae'r un peth yn digwydd gyda'r gwartheg. Fedrwn ni ddim cynhyrchu'r pwysau cig fedrwch chi ei roddi ar fustach neu fuwch yna. Ac o'r herwydd yr unig rywogaeth sydd yn dal y tywydd yn weddol hawdd yw'r benwen – yr Henffordd. Mae hynny'n arwain at fy nymuniad i o geisio cael y rhywogaeth ddu Gymreig – y Fuwch Ddu Gymreig – i'w harbrofi hi yn y tiroedd yma. Dwi'n teimlo y buasai hi'n gallu dal y tywydd a'r amgylchiadau croes sydd ganddon ni ac y gwnâi hi yn dda iawn mewn croesiadau efo'r gwartheg sydd ganddon ni. Gan fod llongau wedi mynd yn brin ac yn ddrud iawn, anodd iawn iawn fyddai tywys yr anifeiliaid yr holl ffordd i'r Wladfa, ond efallai y bydd cludo eu had yn bosibl ac y gellir, rhyw ddydd, gynhyrchu'r fuwch Ddu Gymreig yn y Wladfa.

Symud Anifeiliaid

Dydi'r symud anifeiliaid ar droed a welid gynt ddim i'w weld yma heddiw. Roedd 'na rai erstalwm yn arfer ymgymryd â'r dasg honno yn flynyddol.

Roedden nhw'n casglu defaid o dalaith Santa Cruz yn y de ac yn dod â nhw yn araf gan ddisgwyl, fel rheol, i'r nifer gynyddu ac y ceid deunydd llwyth gweddol at y diwedd. Y broblem fwyaf oedd sicrhau bod digonedd o ddŵr i'w gael ar y daith, a byddai'n rhaid disgwyl nes iddi ddechrau glawio. Roedd dŵr yn sychu weithiau ac yn creu problem go arw. Roedd hi hefyd yn ofynnol i groesi afon Chupat. Roedd yn rhaid cael pont, a'r unig bont heb fod mewn tref oedd Pont yr Hendre, ac i'r gwaith o groesi yn y fan honno roedden nhw'n gorfod cael rhagor o ddynion i'w helpu. Roedden nhw'n mynd â nhw bob yn hwb bach dros y bont gan nad oedd yn bosib i'r cwbl groesi ar yr un pryd.

Yr unig borthmon y gwn i amdano oedd yr hen FacDonald. Fe'i gwelais yn gyrru anifeiliaid pan oeddwn yn blentyn. Roedd Edwyn MacDonald – ewythr i Elvey MacDonald – yn was da iawn iddo. Ymddengys y byddai'r hen FacDonald yn cychwyn efo pedwar neu bum cant o ddefaid ac yna ychwanegu fesul dau a thri a phum cant arall nes eu bod nhw tua dwy fil erbyn cyrraedd Pont yr Hendre. Yn y cyfnod hwnnw ceid meibion ffermydd i'w helpu i groesi'r bont. Byddai ganddo bedwar neu bump o gŵn da iawn ac roedd o'n gallu gadael y cŵn i'w symud nhw'n araf ac yntau yn mynd o'u blaenau. Roedd y cyfnod o ofalu am y defaid yn ymestyn am bedair awr ar hugain y dydd. Y perygl mwyaf yn y nos oedd iddynt chwalu. Pan fyddai hi'n nosweithiau tywyll roedden nhw'n medru cysgu ychydig ond ar y nosweithiau golau roedd yn rhaid cadw'n effro gan y byddai'r defaid yn symud yn araf, gan bori, a'r gweision yn gorfod bodloni ar ryw ddwyawr o gwsg ar y tro. Weithiau aent â wagen efo nhw i gario bwyd ac ati.

Wn i ddim ai prynu'r anifeiliaid yn bersonol ynteu eu casglu i bersonau eraill a wneid.

Mae rhai estancias (ffermydd mawrion) oedd yn arfer bod yn nhalaith Santa Cruz wedi eu gadael erbyn hyn o ganlyniad i flynyddoedd sych a'r hen bobol wedi gorfod ymddeol a gwerthu eu hanifeiliaid ac wedi cloi'r adeiladau gan nad oes gan y plant ddim diddordeb mewn gwneud bywoliaeth yno mwyach.

Roedden nhw'n mynd â'r defaid i ryw fan yn nhalaith Rio Negro ac yno yn eu llwytho ar drên a'u gyrru i dalaith Buenos Aires i'w pesgi. Roedd yn rhaid gofalu fod digon o ddŵr yn y fan honno ar eu cyfer a sicrhau eu bod yn cael dau neu dri diwrnod cyn eu llwytho ar y trên. Blynyddoedd gwael oedden nhw ac roedd defaid mewn cyflwr drwg ond gwneid y gorau i'w pesgi. Weithiau cedwid y goreuon ohonynt i fagu. Ond dwi ddim yn credu fod y rheiny wedi gwneud llawer o enillion iddyn nhw.

Cymerid dau fis neu ragor at y daith gan eu bod o bosib

tua dwy fil o gilomedrau (1,300 o filltiroedd). Mae'n debyg eu bod yn teithio ryw dair i bedair lîg y dydd (hyd at 20 km) – ond dibynnai hyn ar leoliad y dŵr.

Does neb yn meddwl am wneud hyn heddiw ddydd. Mae'r loris wedi dod, y ffyrdd wedi gwella a'r tir wedi ei ffensio. Rwy'n meddwl mai fi fy hun oedd yr olaf i anfon anifeiliaid ar droed. Roeddwn wedi prynu ychydig o ddefaid ac wedi eu hanfon i fyny i Gwm Hyfryd o Primavera yn Rhyd-yr-Indiaid. Un o'r hen frodorion oedd yn mynd â nhw ac mi gollodd lawer o anifeiliaid. Fuasai'r hen FacDonald ddim wedi ystyried mynd â llai na dwy neu dair mil.

Roedd hi'n galed iawn adeg storm. Dwi'n cofio un hen frodor oedd wedi bod yn gyrru anifeiliaid yn dweud ei hanes yn dod o Ddôl y Plu i lawr i gyfeiriad Trelew pan welodd storm yn dod tuag ato adeg machlud haul.

'Os bydd y storm 'ma'n arw iawn, mi fydd y defaid yn gwrthod aros,' medda fo.

Dyna ddigwyddodd y tro hwn. Dyma'r gwynt yn chwythu a'r llwch yn dechrau codi yn ogystal â thipyn o law i'w gefn nes roedd hi'n amhosib iddyn nhw aros. Doedd dim dewis ond gyrru ymlaen ac ymlaen efo'r gwynt i'w cefnau a'r cŵn yn mynd yn ôl ac ymlaen, yn ôl ac ymlaen trwy'r nos nes bod y storm wedi mynd heibio. Chollwyd dim un o'r defaid. Roedd eisiau dyn go neilltuol i wneud peth fel 'na.

Dim ond gyrroedd bach o wartheg a anfonid. Cyn fy amser i roedden nhw'n casglu gwartheg o gwmpas Cwm Hyfryd ac yn eu hanfon nhw drosodd i Chile. I fyny i Bariloche yr aent yr adeg honno. Roedd o'n waith ofnadwy o beryglus gan mai dyna'r adeg pan oedd cowbois o gwmpas. Hwy a laddodd Llwyd ap Iwan ac eraill ac er bod y prisiau yn isel, roedd lladd y rhai oedd yn cario arian am werthu anifeiliaid yn gyffredin. Rhyw ychydig bunnoedd a geid am fustach pedair oed.

Unwaith yn unig yr es i â gwartheg yr ochr arall i'r afon – afon Chupat. Pan ddarfu inni gyrraedd ati roedd y Chupat mewn gorlif. Mi wnaethom ni anfon y ceffylau i fynd yn groes i'r afon ond yn lle hynny roedden nhw'n nofio ar hyd yr afon ac yn dod yn ôl. Digwyddodd hyn dair gwaith. Wrth eu gwylio sylwais fod un ceffyl yn arwain y gweddill. Mi es ato, neidio ar ei gefn a chlymu'r awenau ar ei war – fedrwch chi ddim troi ceffyl ac yntau'n nofio mewn dŵr – wedyn lluchio dŵr i'w wyneb i'w gael i symud i'r cyfeiriad iawn a phan oedd o'n dechrau nofio mi ddois oddi ar ei gefn a nofio wrth ei ochr gan afael yn ei fwng a thynnu'n groes i'r lan arall. Roedd y lleill yn ein dilyn.

Yn ystod yr Ail Ryfel Byd, pan suddwyd un o longau'r Almaenwyr, carcharwyd y morwyr ar ynys ar Afon de la Plata – yr afon fawr sydd rhwng Buenos Aires ac Uruguay. Caent eu trin yn dda yn ôl yr hanes. Roedd caseg ac ebol bach ar yr ynys a dechreuasant ei marchogaeth hi a mynd â hi i'r dŵr. Gwelsant ei bod hi'n nofio'n iawn. Wedyn dyna ddisgwyl am nosweithiau tywyll ac wedi clymu'r ebol ar y lan dyna'r carcharorion yn marchogaeth y gaseg – fesul un i ddechrau ac yna fesul dau – ac yn ei gyrru i'r afon, yna disgyn wrth ei hochr a nofio efo hi gan afael yn ei mwng nes cyrraedd ochr Uruguay i'r afon. Yn y fan honno diolchent i'r hen gaseg, rhoi tipyn o foethau iddi, a'i gollwng hi'n rhydd. Byddai'r gaseg yn ôl efo'i hebol erbyn y bore. Ymhen rhai wythnosau cafwyd bod nifer dda o'r carcharorion rhyfel wedi llwyddo i ddianc o'r ynys i Uruguay.

Fred Green, Trevelin, Chubut, Argentina

ATGOFION AM YR AWDUR

Dad

gan Alwen Green de Sangiovanni

Pan ofynnwyd imi ysgrifennu gair am Fred, sef 'Dad' i ni, nid oeddwn yn gwybod ble i ddechre. Teimlwn ei bod hi'n dasg anodd, achos fel tad yr oeddwn i yn ei nabod! Cofiaf amdano fel dyn ffeind, caredig a chroesawgar iawn, yn barod ei gymwynas efo pawb, a Mam yn gefn iddo bob amser wrth gwrs. Ar y llaw arall, yr oedd o'n benderfynol: roedd yn RHAID siarad Cymraeg yn y tŷ, doedd ddim dewis 'da ni a doedden ni ddim yn gweld hyn yn wahanol. Roedd yn rhaid helpu hefyd – y merched gyda gwaith y tŷ a'r bechgyn ar y ffarm, efo'r tractors adeg torri'r gwair, ar geffylau pan oedd angen mynd i'r goedwig i weld y gwartheg. Peth arall yr oedd o'n rhoi pwyslais mawr arno oedd inni barchu'r henoed. Am wn i mai dyna pam yr ydw i heddiw yn hoff o ymweld â thrigolion hŷn y gymdeithas yma yn Nhrevelin ac Esquel.

Yr oedd Dad yn ein hannog i adrodd yn Gymraeg – yn y capel i ddechre ar gyfer cyngherddau fel y Nadolig ac wedyn mewn eisteddfodau. RoeSangiovru, a chanu wrth gwrs yn yr Ysgol Sul.

Roedd Dad yn ein hannog i ddarllen llawer hefyd. Yr oedd ef ei hun yn hoff o ddarllen ac yn tanysgrifio i gylchgronau fel Times a Life ac wedyn *National Geographic*, a'r *Newsweek* yn y blynyddoedd olaf. Byddai'r *Cymro* yn cyrraedd yn wythnosol a *Cymru'r Plant* i ni'r plant a phob llyfr Cymraeg oedd modd ei gael i'n tŷ! Roedd y cwbwl yn dod drwy'r post, er bod gan drydedd llywodraeth Peron yn y 1970au reolau llym iawn ym maes cyfathrebu, yn enwedig cyfathrebu gyda Phrydeinwyr – a waethygodd cyn dod i binacl adeg rhyfel y Malvinas. Daeth yr heddlu i archwilio'r tŷ adeg y rhyfel hwnnw a mynd â pheiriant radio yr oedd Dad yn ei ddefnyddio i sgwrsio â'r byd i gyd, a Phrydain wrth gwrs. (Daethpwyd ag e'n ôl dipyn yn ddiweddarach.) Nid oedd Dad yn teimlo'n ddig o gwbwl am hyn; dim ond siarad a sgwrsio 'da'i ffrindiau yr oedd o ar y radio felly yr oedd o'n ddigon parod i fod heb y cyfarpar am beth amser os oedd hynny'n help i gadw'r awdurdodau'n dawel.

Hoffai Dad drafaelio; yr oedd yn nabod llefydd fel Ushuaia yn Tierra del Fuego yn ne'r Ariannin a hefyd Río Hondo yn y gogledd. Aeth am flynyddoedd i ymweld â'r baddonau dŵr poeth yno. Aethai i bob Eisteddfod y Wladfa yn Nyffryn Camwy hefyd, heblaw'r un olaf cyn ei farwolaeth. Teithiai i Gymru yn rheolaidd yn y 1990au. Byddai'n mynd ei hun, a Mam adre'n hapus gyda ni'r plant. Aeth Dad i Gymru yn ystod y canmlwyddiant yn 1965 a threfnu fod Mary a Charlie i fynd i'r ysgol i Dregaron yn 1966 gan deithio draw ar long. Aeth hefyd i UDA a Chanada. Aeth ar drên Amtrak Seattle-Vancover yn 1995-6 i ymweld â Nelson a Jil García Jones. Teithiai'n aml i Gibraltar ac fe aeth i Israel yn 1997. Yn 2001 aeth i Gibraltar am y tro olaf gydag Aldo, ei fab-yng-nghyfraith, yn gwmni iddo. Cafodd fynychu'r *corrida de toros* yn ne Sbaen hefyd ac roedd yn medru dweud ei fod yn nabod Affrica pan groesodd oddi yno i Tanger. Cyn cychwyn ar daith byddai'n dweud '*good news no news*' – nid oedd cyfathrebu'n hawdd yr amser hynny!

Vera, Fred, Erik ac Alwen yn cychwyn i ddathlu
Canmlwyddiant y Wladfa (1965)

Fe gafodd Mam y cyfle (yn y diwedd!) i nabod Gymru pan oedd Mary, Erik a finne yno yn y flwyddyn 1978 a chafodd y fraint o fod yn bresennol yn seremoni graddio Mary wedi iddi orffen ei chyfnod ym Mhrifysgol Abertawe. Cawsom ein pump fynychu Eisteddfod Genedlaethol Caerdydd a dyna beth oedd mwynhau. Bu fy rhieni yn y Sioe Amaethyddol hefyd, yng nghwmni Tom Jones a'i wraig a fu mor gymwynasgar gyda'r ddau, yn eu cadw ac yn eu cario i'r Sioe pob dydd. (Daeth Dad, Mam a Mary yn ôl i Batagonia wedyn a minnau'n aros am flwyddyn arall yn Aberystwyth.)

Yr oedd Dad yn edmygydd mawr o John Daniel Evans, neu 'John Ifans Baciano' fel y câi ei adnabod yn y Wladfa. Am wn i fod Dad wedi mynd i Israel gan fod y *Baqueano* wedi bod yno o'i flaen. Dydw i ddim yn siwr os nabyddodd Dad John Ifans gan mai yn Nyffryn Camwy roedd Dad yn byw pan oedd yn llanc ifanc ond roedd yn nabod taith y *Baqueano* ar ei gof yn fanwl. Roedd Mam yn dweud bod John Daniel Evans, pan oedd yn mynd i Gapel Bethel ar y Sul, gyda'i het yn ei law yn arfer ysgwyd llaw â phob un o'r plant, a hithau yn eu plith!

Fe wnaeth Dad recordio ei ddyddlyfrau ar gasetiau er mwyn eu hanfon i Gymru; rwyf innau erbyn hyn wedi eu teipio er mwyn eu cadw'n ddiogel.

Mae gen i gof plentyn o Dad yn mynd â ni fel teulu ar daith hir i lan y môr Puerto Pirámides yn nwyrain talaith Chubut, rhyw ddwyawr o Ddyffryn Camwy. Buom yno am ddeg diwrnod ond fe gysgodd Dad siesta yn yr haul un diwrnod a llosgi ei goesau'n ofnadwy! Gorfod i Charlie yn fachgen bach yrru'r car yn ôl i Ddrofa Dulog at Modryb Ur a'r teulu er mwyn i Dad gael gorffwys a gwella cyn dod yn ôl i'r Andes!

Bu'n arweinydd Cymdeithas Gymraeg yr Andes yn y 1970au. Ei gefnder Ricardo Berwyn oedd yr ysgrifennydd am flynyddoedd ac fel rheol nhw oedd yn trefnu digwyddiadau yn y ddau gapel a chroesawu'r Cymry fyddai'n dod i Batagonia. Nid oedd cynifer bryd hynny ag sy'n dod nawr ond roedd rhai fel T. Gwyn Jones yn dod yn rheolaidd ac yn arwain Cymanfa Ganu, ac wedyn byddai sosial neu de croeso cyn mynd ar gwch ar y llynnoedd. Cefais fynd ar un o'r teithiau yma pan oedd gwraig hynod a diddorol, sef Mrs Edmunds, perchennog Castellmarch yn Aber-soch yn y criw. A hithau'n 80 oed yr oedd wedi trafaelio'r byd i gyd ac yn ogystal â chael hanes hynod Castellmarch ganddi gwelais lun ohoni ar gefn eliffant! Pan oeddwn ar wyliau efo'r teulu Edwards yn Aber-soch flynyddoedd wedi hynny, cefais fynd i'w gweld a chael te yng Nghastellmarch ei hun.

Fel ffarmwr arferai Dad gerdded ar hyd y ffos oedd yn cario dŵr i'r tŷ ac yn cynhyrchu trydan, gyda'i bâl ar ei gefn fel ffermwyr Dyffryn Camwy. Fe'i cofiaf hefyd yn reidio ceffyl, gyda *guarda montes* am ei goesau pan âi i fyny'r mynydd i weld y gwartheg. Ñarci oedd enw un o'i geffylau yn y 1960au, un arall wedyn oedd Morocha. Fe reidiodd Dad nes cafodd godwm a brifo'i gefn a gorfod dechre defnyddio ffon. Wedi hynny gyrrai gar i bobman nes bod y glawcoma'n rhwystro iddo weld i'r ochor dde na'r chwith. Daeth dros y broblem honno drwy fynd o gwmpas ar ei foto-beic chwe olwyn – y '*Big Boss*' fel y'i galwai.

Fel 'radio ham' roedd ganddo ffrindiau ledled y byd i gyd ac amryw ohonynt o Gymru. Cofiaf nawr am Jeff Diplock o Gaerdydd, Idris Jones yn Ynys Môn a llawer iawn mwy. Daeth i gysylltiad â Marian Elias (priod Guto Roberts wedi hynny) drwy Idris Jones (roedd y ddau yn gweithio 'da'i gilydd yn y coleg) a dyna sut y daeth ei gyfrol *Pethau Patagonia* i olau dydd gyntaf.

Ar y Sul byddem yn mynd i Gapel Bethel, Trevelin gyda'r teulu i gyd a Nain Gwenonwy hefyd, a dweud adnod oedd Mam wedi bod yn brysur yn ein dysgu (un wahanol i bob un ohonom ni blant) a mynd i gael te wedyn efo'r Antis Griffiths (Ann a Mair) a'r tíos (ewythrod) Pennar, Gwili ac Edwyn, sef chwiorydd a brodyr Mam, neu gyda Nain Gwenonwy a Nita oedd yn byw gyda hi. Y Parch. David Peregrine oedd yn weinidog nes aeth yn ôl i Gymru yn niwedd y 1960au. Wedyn byddai pawb yn cymryd rhan drwy'i gilydd ac Anti Ann wrth yr organ. Mair ac Edwin Griffiths, Brychan Evans, Freda Williams, Olwen a Hywel Rowlands, Alice Thomas a mab Lewis Thomas yw'r rhai dwi'n gofio yn y gynulleidfa, a ninnau fel teulu wrth gwrs.

Alwen Green gyda'i gŵr, Aldo Sangiovanni a'u mab, Alin

Doedd dim gwaith, dim ond y pethau angenrheidiol, yn mynd ymlaen ar y Sul yn ein tŷ ni; dim gweu chwaith. Darllen a mynd i'r capel oedd y drefn, dysgu adnod a chwarae a mynd i gael te yn lle'r antis neu Nain.

Yr oedd Dad yn gwbl dairieithog. Heblaw am y Sbaeneg mae pawb yn ei siarad yma gallai siarad Cymraeg a Saesneg ers pan oedd yn blentyn ac yr oedd wrth ei fodd yn ein dysgu ni i gyfrif yn iaith yr indiaid hefyd. Yr oedd ffrind ganddo o blith yr indiaid, 'Luis' Payal a oedd wedi dysgu llawer brawddeg iddo.

Rydym ni fel plant yn hynod ddiolchgar i'n rhieni am roi inni yr addysg orau oedd bosib. Cawsom orffen yr ysgol gynradd mewn ysgol breswyl Saesneg yn nhref Bariloche (mynd yno ar awyren fach o Esquel) ac nid oeddem yn teimlo'n unig yno gan mai mynd bob yn ddau oedd y drefn:

Charlie a Mary yn gynta ac wedyn Erik a fi. Cawsom ein haddysg uwchradd yn Esquel (bu Mary a Charlie am gyfnod yn ysgol uwchradd Tregaron) ac wedyn cawsom ein pedwar gyfle i fynd i Gymru a chael dilyn llwybrau ein diddordebau amrywiol yn yr Hen Wlad. Roedd bywyd mor brysur fel na chaem amser i hiraethu gormod am gartre ond rwy'n siŵr fod ein rhieni wedi ein colli ni. Yr oedd llythyrau yn cael eu hanfon yn wythnosol, a chaem ateb gan lawer o'r teulu estynedig yn rheolaidd.

'Yn ngheg y sach y mae cynilo, blant!' oedd un o hoff ddywediadau Dad. Roeddem yn byw yn eitha hunangynhaliol. Caem ein bwyd i gyd bron o'r ffarm, cyn i neb sôn am fwyd organig – cig, llysiau a ffrwythau, llaeth a menyn, jam (hyn oll heb oergell).Yr oedd Dad yn hoff iawn o darten hufen Patagonia ac fe gâi uwd bob bore i frecwast efo hufen o'r llaeth yr oedd Mam yn ei odro. Ni'r plant oedd yn cau'r lloi bach ddiwedd y pnawn er mwyn i'r gwartheg fod â llaeth erbyn eu godro yn y bore. Mam oedd yn gwneud y bara yn wythnosol yn y ffwrn fawr hefyd.

Dad adeiladodd ein cartref ni, Pennant, o goed a phriddfeini – y cwbwl wedi eu paratoi neu eu gwneud ar y ffarm. Roedd y tŷ ar odrau'r mynydd ar ochr orllewinol Afon Percy felly nid oedd trydan o'r dref yn cyrraedd yno. Oherwydd hyn fe gariodd Dad ddŵr drwy ffos i lyn ac oddi yno wedyn i dyrbin a chael trydan yn y tŷ. Nid oedd trydan yng nghartrefi'r ffermydd bryd hynny felly roedd hyn yn arloesol. Roedd peiriant golchi dillad 'da ni ac roedd yn rhaid smwddio'r dillad pan oedd y trydan ymlaen. Pan oedd yn amser gwely roedd yn rhaid torri mynediad y dŵr i gadw'r llyn yn llawn.

Daeth Richard Llewelyn i aros i Gwm Hyfryd am amser

Fred a Vera gyda Mr a Mrs Tom Jones yng Nghymru

hir wrth Lyn Futalaufquen yn y 1950au a daeth Dad ac yntau'n ffrindiau mawr. Gan mai Tío Gwili oedd yn gyrru'r car i Mr Llewelyn roeddynt yn cyfarfod yn aml. Mae gennym ni fel teulu lawer iawn o luniau o'r cyfnod hwnnw.

Ar ddiwedd 1968 daeth Kyffin Williams i aros gyda'r teulu. Nid oedd yn siarad Cymraeg a doedd Mam ddim yn deall Saesneg felly yn hytrach nag aros ar y ffarm yr oedd yn aros efo Nain Gwenonwy yn ei chartref, Tŷ Ni yn y dref ac yn dod i fyny i Pennant yn aml ar gefn ei geffyl. Aethom i ddathlu'r flwyddyn newydd i Lyn Rosario ac ar ôl mwynhau *asado* cig oen wrth y llyn rwy'n cofio cerdded o gwmpas gyda Kyffin – ond yn methu cofio pa iaith oedd yn cael ei siarad gennym ni chwaith.

Gydol y blynyddoedd bu llawer iawn o ymwelwyr o Gymru yn galw draw i Bennant. Daeth y rhai cyntaf adeg y canmlwyddiant wrth gwrs, yn 1965, a bu eraill yn aros gyda ni wedyn hefyd, yn eu plith Lady Edwards, Norah Isaac, yr Athro Robert Owen Jones a'r teulu, Tom Jones (Llanuwchllyn), R. Bryn Williams a'i fab Glyn a'r teulu, Gareth Alban Davies, y Parch. a Mrs Elwyn Davies, y Parch. Dennis Young, y Parch Eirian Wyn Lewis a Miss Mair Davies, a llawer mwy. Roedd cadw'r cysylltiadau yma yn bwysig i fy rhieni ac yn ffordd o ddangos i ni'r plant mor werthfawr oedd gallu siarad Cymraeg a ieithoedd eraill, a thrafaelio, ac mor ddiddorol oedd bywyd! Roedden nhw'n codi awydd ynom i nabod a dysgu am wledydd eraill, a ffyrdd o fyw gwahanol i fywyd Cwm Hyfryd, er mor atyniadol, diddorol a hapus oedd ein byd bach ni.

Aeth y blynyddoedd heibio. Fe dyfon ni'r plant a phriodi a chael ein plant ein hunain, ac er bod Dad a Mam wedi cadw'n dda tan eu hwythdegau, fe gollasom Mam pan oedd hi'n 82 oed. Bum mlynedd wedyn, ar fore Llun yr 11eg o Chwefror, 2002 bu farw Dad yn Ysbyty Trevelin. Nid oes amheuaeth gennyf eu bod yn mwynhau cwmni'r Arglwydd; roedd y ddau wedi byw bywyd o addoliad gydol y blynyddoedd.

Rhoddwyd Mam a Dad i orffwys mewn llecyn tawel ym mynwent Pennant ar lethrau'r mynydd y tu ôl i'r fferm. Ar ddyddiau braf byddwn yn cerdded i fyny yno i syllu ar yr olygfa brydferth o'r Cwm, gan deimlo'n bur sicr fod dylanwad y ddau yn dal yn drwm ar yr holl deulu. Y peth lleiaf y gallwn ninnau ei wneud yw ceisio parhau i gynnal eu delfrydau ieithyddol, crefyddol a chymdeithasol orau ag y gallwn ni, er cof annwyl iawn a diolchgarwch amdanynt.

Taid

gan Sara Borda Green

Dyma bethau dwi'n eu cofio am Taid. Yn gyntaf, ei Gymraeg: 'Rargian fawr!', 'Diarannwl', 'Shw mae?'

Deffro am bump yn y bore i wrando ar newyddion y BBC; wedyn 'nôl i'r gwely am awr fach arall. Byddai'n hoff iawn o goffi, uwd a iogwrt hefyd.

Gwisgai siwmper werdd drwchus a'r cadach gwddw bob amser. Pan glywem sŵn y 'toc, toc, toc' cyfarwydd, byddai rhywun yn siwr o weiddi 'Ffon Taid! Mae Taid yn dod! Brysia i agor y drws!'.

Darllen, darllen a mwy o ddarllen; roedd llyfrau a chylchgronau ar hyd y lle a lluniau am bobol a llefydd yn Nghymru doeddwn i ddim yn eu hadnabod bryd hynny.

Pan oeddwn yn ddisgybl yn yr ysgol uwchradd leol, cofiaf fy malchder wrth wrando ar fy ffrindiau'n edmygu Taid pan oedd o'n pasio'n gyflym ar ei fotobeic chwech olwyn ATV heibio i'r ysgol. Roedden nhw'n eiddigeddus iawn ohonof i yn cael taid mor hynod.

Bûm yn ei recordio fo'n sôn am enwau, llefydd a hanes y daith arbennig honno i Borth Madryn. Roeddwn yn gwirioni ar enwau fel Nant y Pysgod, Rocky Trip, Gin Bocs Mawr a Gin Bocs Bach; hanes a mwy o hanes fy hynafiaid ar y paith – roedd hi'n fraint gwrando ar Taid.

Byddai yn ei elfen yn sgwrsio am geffylau, eisteddfodau neu wleidyddiaeth ryngwladol – y cyfan yn ystod yr un pnawn! Siaradai hefyd am y sêr a'r gofod, am John Daniel Evans, am Richard Jones Berwyn, am y tro hwnnw pan

Mary Green gyda'i gŵr, Jorge Borda a'u plant, Enrique a Sara

ddihangodd o'r dosbarth piano pan oedd o'n plentyn (nid cerddoriaeth oedd ei bwnc!).

Dwi'n meddwl bod Taid Fred yn ddyn diddorol, mentrus, gyda gweledigaeth glir. Dyn a briododd ferch dlos a gweithgar, gyda chalon lân, sef fy Nain Vera. Sut alla i anghofio eu lleisiau wrthi'n siarad, fel sŵn y gwynt yng nghoed y ffarm?

Efallai mai dyna'r esboniad pam y dysgais i garu iaith a diwylliant yr Hen Wlad heb sylweddoli hynny, a heb ddim math o orfodaeth. Fel y tro yr enillais wobr am ysgrifennu cerdd fach yn Sbaeneg – roeddwn i'n un ar ddeg oed ac er nad oedd o'n hoffi'r syniad o gerdd heb odl, roedd Taid yn falch iawn. Dwi'n dal i gofio'r dagrau o lawenydd yn gloywi ei lygaid. Fel yr adeg yr es i ar y llwyfan i gystadlu yn Gymraeg am y tro cyntaf: 'O tedi bach annwyl, o tedi bach tlws' oedd y gerdd a Mam oedd wedi fy nysgu fi i'w hadrodd, fel y gwnaeth Taid gyda hithau flynyddoedd ynghynt. Fel y gwnes i y llynedd, pan ddysgais blant yn yr Ysgol Feithrin i adrodd 'Mi Hoffwn'.

Mae un peth yn sicr heddiw: bod etifeddiaeth Taid Fred yn dal yn bresennol a chadarn. Gan fy mod i'n sicr bod cenedl heb iaith yn genedl heb galon.

Fred Green

gan Yr Athro Robert Owen Jones

(Yn y 1970au dechreuodd yr Athro Robert Owen Jones astudio gwahanol dafodieithoedd disgynyddion yr Hen Wladfawyr ym Mhatagonia. Wedi ymserchu yn y bobl a'r lle, ac ar ôl dechrau dadansoddi'r hyn a gofnodwyd, daeth yn eglur iddo fod angen cynnal ymchwiliad ehangach. Cafodd ysgoloriaeth i'w alluogi i dreulio blwyddyn yn y Wladfa gyda'i deulu yn cofnodi'r Gymraeg a gwasanaethu'r eglwysi Cymraeg. Ers hynny y mae wedi cyflwyno traethawd doethuriaeth, cyhoeddi nifer dda o erthyglau ac annerch cynadleddau rhyngwladol yn ymwneud â'r Wladfa a'r iaith Gymraeg ym Mhatagonia. Yn 1996 derbyniodd gomisiwn gan y Swyddfa Gymreig i archwilio sut y gellid hybu dysgu'r Gymraeg yno; ffrwyth hynny yw Cynllun yr Iaith Gymraeg yn Chubut.

Cyfarfu'r Athro Robert Owen Jones â Fred Green gyntaf yn 1971 a thros y blynyddoedd daeth i adnabod yn dda y gŵr y tu ôl i'r enw. Caent sgyrsiau difyr ac onest a chryn dipyn o hel atgofion a chasglu argraffiadau a daethant yn ffrindiau pennaf. Tra oedd Mary, merch Fred, yn astudio yn y Brifysgol yn Abertawe, fe ymgartrefodd gyda Robert Owen Jones a'i deulu, ac mae'r cysylltiad wedi parhau hyd heddiw a'r teulu'n parhau i groesawu plant, wyrion a wyresau Fred ar eu haelwydydd.)

Bu Fred Green farw ar yr 11eg o Chwefror 2002 ac fe'i claddwyd ym mynwent y teulu ar dir Pennant. Roedd yn ŵr

Vera, Fred a Nain Gweno gyda'r plant (1964)

hynod iawn, yn bersonoliaeth unigryw a daw hynny i'r wyneb wrth inni ddarllen y gyfrol hon. Serch hynny, codi cwr y llen yn unig a wnaeth Fred. Mae'n rhaid tyrchu'n ddyfnach i gael darlun cwbl gytbwys ohono.

Dylanwadwyd yn drwm ar Fred gan ei deulu, ei fagwraeth a'i gymdogaeth. Roedd yn unig blentyn i Gwenonwy a John Charles Green ond collodd ei dad pan ydoedd ond saith mis oed. Roedd ei fam yn wraig abl ac yn gymeriad cryf a'i thad hithau, Richard Jones Berwyn, yn unigolyn dylanwadol, yn ŵr galluog, amryddawn a thra gweithgar. R. J. Berwyn oedd cofrestrydd priodasau, genedigaethau a marwolaethau cyntaf y Wladfa. Bu'n ysgrifennydd y Cyngor a'r Llys Rhaith, yn bostfeistr, yn geidwad y porthladd ac yn ysgolfeistr. Dyna restr wych o gyflawniadau un person! At hynny ef oedd awdur *Gwerslyfr cyntav i ddysgu darllen Cymraeg at wasanaeth ysgolion y Wladva*. Roedd hwn yn waith arloesol gan nad oedd dim tebyg ar gael yn unman ar gyfer dysgu darllen y Gymraeg. Ymddengys iddo roi cryn bwyslais ar ei aelwyd ac yn yr ysgol ar eirio'n glir ac ar ddefnyddio iaith safonol ac effeithiol. Nid oedd lle i gymysgiaith na bratiaith ac felly roedd benthyca geiriau o'r Saesneg neu o unrhyw iaith arall yn anathema. Ef oedd golygydd / cyhoeddwr *Y Brut*, newyddiadur cyntaf y Wladfa. Bu hwnnw'n gyfrwng er lledaenu ei syniadau ynglŷn â normau iaith safonol a derbyniol. Bu pwyslais R. J. Berwyn ar gywirdeb iaith yn sicr yn un o'r ffactorau a ddylanwadodd ar yr ymdoddi tafodieithol yn y Wladfa yn y blynyddoedd cynnar. Roedd balchder yn ei hunaniaeth Gymreig yn elfen bwysig a'r Gymraeg oedd y craidd a roddodd ystyr a mynegiant i hynny. Nid oes ddwywaith na lwyddodd Berwyn i drosglwyddo'r gwerthoedd hynny i'w blant a hefyd i'r genhedlaeth nesaf, sef cenhedlaeth Fred Green. Yn ogystal roedd yn ŵr ac iddo ystod eang o ddiddordebau – y capel, y gymuned, diwylliant, hanes a chelfyddyd ond hefyd roedd yn ymddiddori'n fawr yn yr amgylchedd. Dywed Fred i'w daid ymaddasu'n fuan i fywyd yn y wlad newydd drwy ei barodrwydd i ddysgu sgiliau helwriaeth gan y brodorion. Yn ddiweddarach bu'n cofnodi'r tywydd yn ddyddiol a daeth yn dipyn o arbenigwr ar seryddiaeth. Roedd yn barod i fentro ym myd busnes ac ar un cyfnod bu'n llyfrwerthwr ac yn felinydd.

Fel ei daid roedd canfas pur eang i'r meysydd yr ymddiddorai Fred ynddynt. Yn ei ddyddiaduron am 1934 (sydd yng ngofal ei ferch, Alwen) ac yntau yn un ar hugain mlwydd oed, cofnododd arbrofion a wnaethai â gwahanol ddulliau o dyfu cnydau er mwyn gweld pa rai oedd yn gweddu orau i'r tir a'r hinsawdd yn Nrofa Dulog. Cadwodd gofnodion manwl hefyd o'r bwyd a roddai i'r ieir a nododd nifer yr wyau a gawsai yn ystod gwahanol gyfnodau'r arbrawf. Ceir ganddo hefyd gofnodion manwl ynglŷn â chadw un ar bymtheg o gychod gwenyn. Dyma a gofnododd ar y 5ed o Dachwedd 1934: '*Ymddangosodd haid o un o'r cychod a chan fod haid y cwch yma'n wan bernais mai teg fyddai ei chryfhau gyda'r cwlwm newydd yma. I'r pwrpas gosodais ar wyneb y cwch flwch a rhyngddynt ddalen o bapur newydd ac yna cauais y cwlwm yn y blwch uchaf gan ddisgwyl iddynt dyllu'r papur a chydymffurfio yn un haid.*' Ac ar Dachwedd y 9fed: '*Tyllwyd y papur a chydymffurfiodd y ddwy yn un haid...*'

O'i lencyndod ymddiddorodd yn fawr mewn cydweithio â natur er mwyn gwella'r cynnyrch. Bu hynny'n nodwedd ganolog o'i ddulliau gweithio yn ddiweddarach ar *estancia* Primavera ac ym Mhennant.

Mae'n ddiddorol nodi mai yn y Gymraeg yr ysgrifennwyd y llyfrau cofnodion a'r dyddiaduron. Bu pori yn yr olaf yn hynod o werthfawr ar gyfer cael darlun teg o batrymau cymdeithasol ac yn wir o'r cymunedau y bu'n rhan ohonynt rhwng 1930 a 1949.

Mewn cwrdd llenyddol ym Mryn Gwyn yn 1926 pan oedd yn dair ar ddeg mlwydd oed, cystadleuodd Fred ar y 'Casgliad o enwau tyddynnod Rhanbarth Bryngwyn' (*Papurau F. Green* sydd yng ngofal Alwen Green). Rhestrodd enwau deugain a phedwar o dyddynnod gan gynnwys enw'r penteulu ym mhob achos. Roedd gan y penteuluoedd enwau Cymraeg heblaw am bedwar ac roedd dau o'r rhai hynny wedi cadw enwau Cymraeg gwreiddiol eu ffermydd sef *Erw Fain* a *Fuches Wen*. Mae'r casgliad yn dra gwerthfawr gan fod yr enwau yn rhagflaenu'r duedd ddiweddarach o gyfeirio at fferm yn ôl rhif yn hytrach nag enw. Roedd Dyfed Evans yn byw ym *Maes yr Haf*, Daniel Evans yn byw yn *Is Helyg*, Madryn Evans ym *Maes Cymro*, D. Davies ym *Mhant y Blodau*, a William Evans ym *Mron y Gân*. Roedd sawl enw'n disgrifio'r lleoliad i'r dim megis *Boncyn, Min y Ffordd, Parc y Llyn, Bryn Amlwg, Bryn Coed, Bron y Berllan, Pen Bryniau, Y Fron Deg* a'r *Wern Ddu*. Mae hwn yn gofnod hanesyddol pwysig.

Roedd ardal Drofa Dulog / Bryn Gwyn yn y 1920au a'r 1930au yn dra Chymreig gyda mwyafrif llethol y ffermydd yn nwylo Cymry. Roedd yno gymdeithas glos a chryn fynd ar gyrddau llenyddol, ysgol gân a chyngherddau. Roedd Capel Seion, Bryn Gwyn yn llawn gweithgarwch a digonedd o gyfleoedd i'r ifanc gymdeithasu drwy gyfrwng y Gymraeg. Dyma restr o'r cyfarfodydd y bu Fred ynddynt yn 1930 (*Papurau F. Green*): Cyrddau Llenyddol (5), Cyrddau Cystadleuol (2), Cyrddau wythnosol Adran yr Urdd, Picnic Adran yr Urdd, Cyrddau'r Sul ym Mryn Gwyn, Cwrdd y Ffos a chyngerdd yn dilyn, pwyllgor trefnu Gŵyl y Glaniad a Chwrdd yr Ysgol Ganolraddol. Nododd hefyd ei bod yn arferiad gan yr ifanc i fynd o gwmpas yr ardal yn casglu calennig ar ddydd Calan. Yn 1931 roeddynt ar hyd yr ardal hyd 4 o'r gloch y bore. Pawb wedyn yn mynd i le Benj i gysgu! Roedd gweithgareddau o'r fath yn hynod o bwysig o safbwynt cymdeithaseg iaith. Oherwydd y gyfundrefn addysg roedd y plant i gyd yn dysgu'r 'iaith genedlaethol' ond daliodd y Gymraeg ei thir a hi oedd prif iaith yr ieuenctid. Dyma oedd cefndir ieithyddol Fred – Cymraeg ar yr aelwyd ac yn y gymuned. Er iddo ddysgu Sbaeneg a'i defnyddio'n effeithiol a hyderus, y Gymraeg oedd ei brif iaith. Er iddo dderbyn addysg eilradd drwy gyfrwng y Saesneg a dod yn gwbl rugl yn yr iaith honno, yn y Gymraeg y cadwodd ei gofnodion a hi oedd prif gyfrwng ei ddyddiaduron. Paham tybed? Byddwn i'n dadlau bod yr ateb yn rhannol ym mhatrymau cymdeithaseg iaith bro ei febyd.

Roedd digonedd o weithgareddau cymdeithasol yn Nrofa Dulog/Bryn Gwyn drwy gyfrwng y Gymraeg ar gyfer y plant. Ar y naill law bodolai cyrddau plant ynghlwm wrth Gapel Seion, Bryn Gwyn ond erbyn diwedd y 1920au sefydlwyd Adran yr Urdd yn yr ardal a byddai honno'n cyfarfod yn rheolaidd. Yn 1928 roedd pedwar ar bymtheg o enwau ar y gofrestr a gedwid gan Fred. Anogid y plant i ddarllen cylchgronau Cymraeg fel y byddai hi'n datblygu yn gyfrwng darllen ac ysgrifennu yn ogystal â chyfrwng llafar. Yn ei ddyddiadur am 1931 rhestra Fred y cylchgronau a ddosberthid yn yr ardal: *Y Capten, Cymru'r Plant, Y Ford Gron* a'r *Cerddor*. Roedd Fred yn amlwg yng nghanol y bwrlwm hwnnw.

Yn nyddiaduron Fred a rhai ei fam, Gwenonwy Berwyn de Green, ceir darlun lled gywir o batrymau cymdeithasu o fewn yr ardal yn y 1930au. Nodwyd pwy oedd wedi ymweld â'r cartref yn ogystal â'r cyfeillion yr ymwelasant â hwy. Yn nyddiaduron Gwenonwy darlunnir rhwydweithiau cymdeithasol a oedd yn gyfangwbl ymysg siaradwyr Cymraeg. Yr unig eithriadau oedd cyfeiriadau at fasnachwyr neu weision dros dro a alwai heibio i'r cartref. Yn nyddiaduron Fred cyfeirir at bum deg saith o unigolion a ymwelodd â'r cartref neu yr ymwelwyd â hwy. Pump yn unig o'r rhain oedd yn ddi-Gymraeg – Manuel, Rodriguez, Otto, Mrs Daluso a Pedro.

Mewn gwirionedd, atgyfnerthodd y gymuned yr hunaniaeth Gymreig naturiol a oedd mor gryf yn Fred. Dichon ei fod ymhlith y to olaf i'w magu yn Nyffryn Camwy dan y fath amodau ffafriol. Drwy gydol gweddill ei fywyd newidiodd yr amgylchiadau cymdeithasol/ieithyddol yn ddirfawr a brigodd malltod cefnu ac ymwrthod i'r wyneb. Drwy wrthod plygu i'r fath newidiadau roedd Fred fel petai'n brwydro y erbyn llif yr oes. Ni allai gefnu ar ei orffennol nac ar ei ymdeimlad o hunaniaeth Gymreig a dichon mai hynny ynghyd ag ystyfnigrwydd a'i cymhellodd i drosglwyddo i'w blant y gwerthoedd a'r etifeddiaeth a drysorai ef ei hun. Roedd Fred yn Archentwr ac roedd yn falch o'i wlad enedigol ond roedd ei dras Gymreig yn elfen gwbl ddiffiniol hefyd.

Priododd Fred â Vera Griffiths o Gwm Hyfryd ar yr 2il o Fedi, 1950 ac am nifer o flynyddoedd ymgartrefasant ar diroedd eang a sych *estancia* Primavera. Ganwyd Charlie a Mary tra oeddynt yno. Pan oedd Charlie yn saith oed ac felly mewn oedran mynychu'r ysgol, symudodd y teulu i ardal Trevelin gan wneud eu cartref yn Nhroed yr Orsedd lle y magwyd Vera. Yn ddiweddarach, cynlluniwyd ac adeiladwyd cartref newydd - Pennant. Nid oedd godre'r Andes mor fyrlymus yn gymdeithasol ag ardal enedigol Fred ond er gwaethaf neu efallai oblegid hynny roedd y tad yn gwbl benderfynol o drosglwyddo'r ymwybyddiaeth o hanes a chefndir i'w blant, yn ogystal â'r teimlad o falchder yn hynny yn hytrach na chywilydd fel oedd mor amlwg ymhlith pobl ifanc y Wladfa o'r 1940au ymlaen. Nid gwaith un dyn oedd cyflawni hynny a heb gefnogaeth, dyfalbarhad a doethineb ei briod a mewnbwn ei chwiorydd hithau, Ann a Mair Griffiths, mae'n bosibl na fyddai wedi llwyddo.

Cafodd Vera fel Fred fagwraeth grefyddol, ddiwylliedig a chwbl Gymreig yn Nhroed yr Orsedd a'r Gymraeg oedd ei hiaith gyntaf. Roedd hithau'n gyfarwydd â rhwydweithiau Cymreig bywiog ac â gweithgareddau niferus y capel ac ar eu haelwyd hwy yn Nhroed yr Orsedd y sefydlwyd Adran yr Urdd yn nechrau'r 1930au. Er iddi dderbyn addysg uniaith Sbaeneg, y Gymraeg oedd iaith y chwarae ar fuarth yr ysgol yr adeg honno a pharhaodd yr arferiad hwnnw ymysg y genhedlaeth hon dros ysgwydd y degawdau nesaf. Erbyn y 1950au roedd trosglwyddo'r Gymraeg i'r genhedlaeth iau wedi mynd yn nodwedd brin iawn a hyd yn oed pan fynnai rhai rhieni fod eu plant yn siarad Cymraeg yn y tŷ, y Sbaeneg ddeuai'n naturiol iddynt o'r tu allan i'r cartref. I'r bobl ifanc, y Sbaeneg oedd yr iaith ar gyfer cymdeithasu â chyfoedion, a chyfrwng i'w ddefnyddio â'r genhedlaeth hŷn oedd y Gymraeg. Roedd y Gymraeg i raddau yn datblygu'n nodwedd oedran glwm.

Un ffactor a ddylanwadodd ar enciliad y Gymraeg o fywyd cyhoeddus oedd y cefnu cyffredinol a fu ar grefydd. Yn nyddiau plentyndod Vera a'i chwiorydd a'i brodyr a'u cyfoedion roedd y Gymraeg yn iaith gyhoeddus – cyfrwng addoliad yn y capel – y pregethu, yr ysgol Sul, y 'band o' hôp', yr ysgol gân a'r amrywiol gyngherddau a'r dathliadau a oedd yn gysylltiedig â'r calendr crefyddol. Yng Nghapel Bethel, Trevelin yn yr ysgol Sul roedd cyfle i drafod, darllen ac ysgrifennu yn y Gymraeg. Newidiodd hyn yn raddol a thua chanol y 1930au rhwygwyd yr achos ym Methel drwy i garfan adael gyda'r cenhadwr David Morris gan sefydlu eglwys newydd Ebeneser a'r Sbaeneg oedd cyfrwng yr addoliad yno. Yn y 1960au sefydlwyd eglwys Fethodistaidd yn Nhrevelin a bylchwyd Bethel ymhellach. Yn awr plant

Fred a Vera oedd yr unig bobl ifanc ar ôl. Charlie, Mary, Alwen ac Erik oedd y plant olaf i addoli drwy gyfrwng y Gymraeg. Mae'n ddarlun trist ac yn un a allai fod wedi effeithio'n negyddol ar y rhai ifanc. Nid felly y bu oherwydd dylanwad cadarnhaol y rhieni a'r teulu estynedig yn sicrhau bod siarad Cymraeg yn gwbl normal mewn ystod o sefyllfaoedd cymdeithasol. Roedd teulu Pennant fel petaent yn nofio'n groes i dueddiadau'r gymdeithas ehangach. Roedd cefndiroedd magwraeth Fred a Vera yn gwbl allweddol yn eu penderfyniad i roi i'w plant fagwraeth a oedd mor debyg â phosibl i'r hyn a gawsant hwy.

Pan oeddynt yn byw ar y paith yn y Primavera, un orchwyl hollbwysig oedd dysgu Charlie a Mary i ddarllen, a hynny yn y Gymraeg. Roedd y Gymraeg i gael blaenoriaeth a mynegir hynny'n glir mewn nodyn a anfonodd Gwenonwy at ei hwyres Mary: '*Siars gan nain i Mary ei hwyres (1957) Mi roeddwn wedi gwneud fy ngorau i'ch dysgu eich dau i ddarllen ac ysgrifennu Cymraeg ac os cewch chwithau fyw i fod yn fam ac yn nain cofiwch wneud yr un peth – dysgu Cymraeg yn gyntaf i'ch plant a'ch wyrion.' (Papurau F. Green)*

Mewn sgwrs crybwyllodd Mary un enghraifft o orgraff y Gymraeg yn ymyrryd â'r Sbaeneg ysgrifenedig pan ddechreuodd yn yr ysgol: '*Oeddwn, roeddwn i'n darllen ac yn ysgrifennu cyn mynd i'r ysgol a hynny yn Gymraeg. Dwi'n cofio cael fy ngheryddu gan yr athrawes am ysgrifennu 'ch' yn lle 'j' mewn geiriau Sbaeneg. Ond dysgais y gwahaniaeth rhwng y ddwy iaith ar ôl hynny.'*

Fel yn achos Berwyn, rhoddodd Fred yntau bwyslais ar ansawdd a safon Cymraeg y plant. Mewn un sgwrs â Walter Brooks dyma ddywedodd Charlie: '*Wedyn oedd fy nhad yn mynd ati i ddysgu geiriau i ni. Oedden ni'n gorfod ysgrifennu'r geiriau ddeg gwaith.'*

Roedd pwyslais ar sicrhau'r addysg orau bosibl yn ganolog yn athroniaeth Fred. Am ddwy flynedd olaf eu haddysg gynradd fe anfonodd Charlie a Mary i ysgol breswyl Saesneg Woodville yn nhref Bariloche. Erbyn diwedd eu cyfnod yno roeddynt yn gwbl rugl eu Saesneg. Yn ddiweddarach cafodd Alwen ac Erik yr un hyfforddiant. Erbyn iddynt orffen eu haddysg gynradd roedd y pedwar plentyn yn dairieithog. Rhan nesaf y cynllun ydoedd anfon y ddau hynaf yn 1966 i dreulio dwy flynedd yn Ysgol Gyfun Tregaron. Roedd yn gyfnod a gadarnhaodd yr union ethos a gyflwynwyd iddynt yn y cartref ym Mhennant. Ar ôl dychwelyd aeth Charlie i weithio ar y fferm gartref ond ymhen blwyddyn aeth draw i weithio ar fferm yn Kansas UDA, yn bennaf i ddysgu dulliau amaethu newydd. Roedd hyn eto yn rhan greiddiol o bwyslais y tad a'r hen daid ar ddysgu a gwella sgiliau personol. Yn y cyfamser aeth Mary i gwblhau ei haddysg uwchradd yn y coleg yn Esquel ond ni therfynodd ei chwrs addysg yn y fan honno.

Yn 1974 cynigiwyd ysgoloriaeth i Mary astudio iaith, llên a hanes Cymru yng Ngholeg Harlech ac ym mis Hydref 1975 cychwynnodd ar gwrs gradd tair blynedd yng Ngholeg Prifysgol Cymru Abertawe. Graddiodd gydag anrhydedd yn y Gymraeg a'r Sbaeneg ym mis Gorffennaf 1978. Mawr ydoedd gorfoledd a balchder ei theulu yn ei llwyddiant. Roedd gor-wyres athro cyntaf y Wladfa, Richard Jones Berwyn, wedi cyflawni gofynion addysgol Prifysgol Cymru. Yr adeg yma roedd Erik ac Alwen hefyd yng Nghymru, y naill am flwyddyn ar fferm yn Llangernyw a'r llall am ddwy flynedd yn ardal Aberystwyth lle y dilynodd gwrs ysgrifenyddol dwyieithog. O fewn ychydig dros ddegawd bu pedwar plentyn Pennant yn hogi eu sgiliau yng Nghymru. Er iddynt eu colli'n fawr roedd y teulu i gyd yn Nhrevelin yn falch sobr bod y pedwar wedi cael y cyfle i ddysgu sgiliau newydd ac ymestyn eu gorwelion a hynny yn yr 'hen wlad'. Tybed a fyddai hyn a'r fagwraeth arbennig a gawsant yn dwyn ffrwyth yn y dyfodol? Roedd eu rhieni a'u modrybedd yn ddigon pendant eu bod yn llawer cyfoethocach o ran profiadau, sgiliau, ymagweddiadau a gwybodaeth i allu wynebu'r dyfodol yn hyderus. Dychwelodd y pedwar i ymgartrefu yn eu cynefin.

Priododd Charlie â Margarita Jones a oedd yn deall Cymraeg ond nad oedd yn ddigon hyderus i gynnal sgwrs ynddi. Priododd Mary â Jorge Borda, athro ysgol eilradd yn wreiddiol o Tandil yn nhalaith Buenos Aires. Priododd Alwen ag Aldo Sangiovanni – athro ysgol gynradd yn wreiddiol o dalaith Buenos Aires. Priododd Erik â Sylvia Baldor a oedd o gefndir Cymreig ond nad oedd yn siarad yr iaith. Beth oedd effeithiau hyn? Na, ni chollodd y ddau frawd a'r ddwy chwaer eu Cymraeg. Ni fu cefnu ar y gwerthoedd a'r etifeddiaeth a drosglwyddwyd iddynt. Parhaodd y Gymraeg yn iaith normal cyfathrebu rhyngddynt. Roedd arferion ieithyddol a sefydlwyd yng nghyfnod plentyndod yn amhosibl i'w newid. Mewn gwirionedd, daeth dwy ferch yng nghyfraith Fred yn rhugl eu Cymraeg. Y gyntaf oedd Sylvia a sylweddolodd yn fuan y byddai'n rhaid iddi ddysgu'r Gymraeg gan fod yr iaith mor bwysig ac amlwg ym mywydau pob dydd ei theulu yng nghyfraith. Cafodd gyfle i fynychu cwrs Cymraeg dwys yn Llanbedr Pont Steffan a dychwelodd nid yn unig yn sgwrsio yn y Gymraeg ond wedi ei thanio gan frwdfrydedd dros bopeth Cymreig. Bu Cynllun yr Iaith Gymraeg yn Chubut a sefydlwyd yn 1997 gyda chefnogaeth y Swyddfa Gymreig y factor a'i cymhellodd i barhau â meistroli'r Gymraeg. Roedd gwersi Cymraeg eisoes ar gael yn 1996 a'r athrawesau oedd Mary Green a Sylvia Baldor de Green. Cymwynas fawr y Cynllun oedd sicrhau bod tiwtor Cymraeg profiadol yn cael ei anfon bob blwyddyn o Gymru i gynnal dosbarthiadau, i ennyn diddordeb a chreu gweithgareddau cymdeithasol fel y gallai'r disgyblion ymarfer yr hyn a ddysgasent yn y dosbarth a mwynhau eu hunain yr un pryd. Cafwyd ymateb arbennig o dda a chynyddodd niferoedd y disgyblion yn ogystal â chyfanswm y dosbarthiadau. O dipyn i beth cafwyd dosbarthiadau ar wahanol lefelau cyrhaeddiad – dosbarth i ddechreuwyr, dosbarth ar gyfer rhai oedd ag ychydig o Gymraeg a dosbarth i rai oedd yn rhugl ac a oedd eisiau manteisio ar bob cyfle i ymarfer eu sgiliau iaith. Ar yr un pryd dechreuwyd dosbarth ar gyfer plant bach – y dosbarth meithrin ac o fewn dim roedd galw am ragor o ddosbarthiadau plant, rhai yn yr ysgolion cynradd. Erbyn heddiw mae'r hedyn hwnnw yn ceisio'i orau glas i egino ac yn wir sonnir am sefydlu ysgol gynradd ddwyieithog yn Nhrevelin lle y bydd y Gymraeg a'r Sbaeneg yn gyfrwng yr addysgu. Mae'n gynllun arloesol oherwydd bydd yn rhaid hyfforddi a chymhwyso athrawon lleol i gyflawni'r addysgu. Pam y tyfodd y gwaith? Paham y cafwyd ymateb cadarnhaol yn yr union ardal a ymddangosai mor galed a diobaith bymtheg mlynedd yn ôl? Roedd cael tiwtoriaid da o Gymru yn factor bwysig yn sicr a hefyd eu parodrwydd i wneud mwy na dysgu o fewn muriau dosbarth. Aethant allan i'r gymuned i gynnal amrywiaeth o weithgareddau gan ddangos i bobl bod dysgu iaith yn gallu bod yn hwyl. Bu

Pwyllgor Lleol y dosbarthiadau Cymraeg yn gefn i'r athrawon ar ymweliad oherwydd heb gefnogaeth, trefniadau clir a nodau pendant ni fyddai wedi bod yn bosibl i'r athrawon dros dro adael eu hôl. Rhoddodd y Pwyllgor ddilyniant i waith y dosbarthiadau o'r naill flwyddyn i'r llall ac roedd hynny'n hollbwysig o gofio mai am gyfnod o flwyddyn y byddai'r tiwtor o Gymru yno fynychaf. Y Pwyllgor oedd yn gyfrifol am drefnu'r rhaglen ddysgu, codi cyllid, hysbysebu ac annog plant ac oedolion i fynychu'r dosbarthiadau. Y Pwyllgor oedd yn gweinyddu'r Cynllun Dysgu Cymraeg yn lleol a hwy hefyd oedd yn sicrhau bod argymhellion yr Arolygydd yn cael eu gweithredu cyn gynted â phosibl. Bu Mary yn flaenllaw yng ngwaith y Pwyllgor o'r dechrau un ac ymunodd Alwen hithau yn ddiweddarach i roi hwb mawr ymlaen i bethau. Heb lafur diflino aelodau'r Pwyllgor a'u parodrwydd i ysgwyddo cyfrifoldebau, heb eu doethineb a'u dyfalbarhad a'u hadnabyddiaeth drylwyr o'r gymuned leol byddai gwaith yr athrawon ar ymweliad wedi bod yn dalcen caled iawn. Bu'r Pwyllgor yn dra chefnogol i'r ymdrechion i gael awr yr wythnos o ganeuon Cymraeg ar y radio leol. Y rhaglen *Jam Llaeth* a ddaeth gyntaf yn 1999, sef rhaglen o ganeuon modern ac ysgafn gan apelio yn arbennig at bobl ifanc. Yn y flwyddyn 2000 dechreuwyd *Mawl a Chân*, rhaglen o ganu emynau a gair neu ddau am gefndir yr emynau a'u hawduron. Daeth hyfforddiant Mary ym Mhrifysgol Abertawe yn dra defnyddiol.

Ar ôl mynychu cyrsiau dwys Cymraeg yng Nghymru daeth Margarita Green yn ddigon rhugl a hyderus i allu cynnal dosbarthiadau Cymraeg i blant ac yn ddiweddarach bu Margarita'n dysgu oedolion – safon dechreuwyr. Gydag amser daeth rhai o gyn-ddysgwyr y dosbarthiadau yn ddigon rhugl i allu mynychu cyrsiau iaith dwys ynghyd â hyfforddiant addysgu mewn ysgolion yng Nghymru gan ddychwelyd i chwyddo rhengoedd y tiwtoriaid lleol yn Nhrevelin – Jessica Jones, Isaias Grandis a Sara Borda Green. Un arall a fu'n gweithio gyda Jessica yn y dosbarthiadau plant oedd Laura Nicklistchek. Mae diddordeb newydd yn y 'pethe' ar gerdded yn yr ardal.

A beth am wyrion Fred Green? Mae'r wyrion hynaf, sef tri mab Charlie a Margarita yn deall popeth yn y Gymraeg ac yn dra chefnogol i'r dosbarthiadau a'r gweithgareddau Cymraeg a gall y ddau ieuengaf sgwrsio yn y Gymraeg. Mae plant Mary a Jorge wedi dysgu'r Gymraeg a'r ferch, Sara yn rhugl yn llafar ac yn ysgrifenedig. Mae hi yn un o gefnogwyr brwd yr ymgais i sefydlu ysgol gynradd Gymraeg yn Nhrevelin. Roedd ganddi gryn fewnbwn yn y memorandwm a'r cais a gyflwynwyd i Awdurdod Addysg Chubut yn 2014. Mae Alin, mab Alwen ac Aldo Sangiovanni yn deall popeth yn y Gymraeg ond nid yw'n ddigon hyderus i sgwrsio yn y Gymraeg ond ym Mhrifysgol La Plata ymunodd â'r Gymdeithas Gymraeg a dechreuodd fynychu dosbarth sgwrsio Cymraeg yno. Yr wyrion ieuengaf yw Hevin a Helen, plant Erik a Sylvia ac y maent ill dau yn gwbl ddwyieithog.

Troes y rhod rhyw gymaint oddi ar gyfnod y cefnu a'r edwino a fu'n carlamu ymlaen am dros hanner can mlynedd. Ni fu'n broses rwydd nac yn newid diddagrau. Serch hynny byddai'n deg dweud bod y newidiadau a'r datblygiadau diweddar yn dystiolaeth glir i ddycnwch, dyfalbarhad a gweledigaeth a daniwyd gan argyhoeddiad ac esiampl rhieni a theulu estynedig mewn cyfnod pan oedd

Tystysgrif am ddod yn ail yng nghystadleuaeth
Cadair Eisteddfod y Wladfa

hynny'n anffasiynol os nad yn destun gwawd. Byddai Fred a Vera Green ac Ann, Mair, Edwyn, Pennar a Gwili Griffiths yn llawn gorfoledd o weld bod eu gweledigaeth a'u treftadaeth â thipyn mwy o barch yn awr nag yn y gorffennol. Byddent yn llawen iawn o weld bod Mary ac Alwen a'r ddwy chwaer yng nghyfraith yn aelodau o Orsedd y Wladfa a bod Mary wedi ennill Cadair Eisteddfod Trevelin deirgwaith, Cadair Eisteddfod y Wladfa ddwywaith, yn ogystal â phrif wobr farddol Eisteddfod Mimosa ym Mhorth Madryn. Dyfarnwyd iddi hefyd yr ail wobr mewn cystadleuaeth cyfieithu tair cerdd Sbaeneg gan fardd o Cuba i'r Gymraeg.

Magodd Fred a Vera eu pedwar plentyn yn Archentwyr, i fod yn falch o'u dinasyddiaeth yn eu gwlad enedigol – yr

Ariannin – ond trosglwyddwyd iddynt hefyd ymwybyddiaeth o gariad a pharch at eu gwreiddiau Cymreig, yr hanes a'r diwylliant ac yn graidd i'r cyfan yr iaith Gymraeg. Roedd Fred yn wir yn gymeriad hynod ac yn un a ddylanwadodd yn fawr ar ei blant ond roedd i Vera hefyd le allweddol yn y broses honno. Braint yn wir fu cael adnabod y ddau a pharhau hyd heddiw i gynnal y cyfeillgarwch gyda'u disgynyddion.

Geirfa

Aguada – llecyn gyda ffynhonnell ddŵr

Aparte – gwahanu defaid ac ŵyn

Armadillo – dulog; creadur cyffredin ar y paith ym Mhatagonia

Arpillera – defnydd bras addas i gadw gwlân ar ôl cneifio

Asado – cig wedi ei rostio ar dân agored

Baqueano – marchogwr gwych; arweinydd cyfarwydd â'r paith

Bastos – ymylon cyfrwy

Boleadoras – peli ar raff a ddefnyddid i ddal anifeiliaid

Bombachas – trowsus y *gaucho*

Bozal – safnrwym

Camión – lori

Camp – rhan o'r paith a ddefnyddir at ddibenion amaethyddol

Chalet – bwthyn bychan

Chata – fan

Chilenos – trigolion gwlad Chile; hefyd hanner-Indiaid

Chimango – aderyn tebyg i farcud

Corredor – masnachwr teithiol

Cortada – lle addas i fynd drwyddo

Estancia – fferm helaeth; *ranch*

Estancieros – gweithwyr yr *estancias*

Estribera – stribyn lledr sy'n dal gwarthol

Gaucho – dyn sy'n gweithio gyda'i geffylau ac yn gofalu am anifeiliaid ar y paith

Guarda montes – gorchudd lledr i'w roi dros drowsus wrth farchogaeth

Gwanaco – anifail cyffredin ar y paith, tebyg i gamel bychan blewog o liw browngoch

198

Hectaria – 10,000 m2

Jineteada – gemau marchogaeth poblogaidd
   ymysg y *gauchos*

Kijango – mantell wedi ei gwneud o groen anifail

Legua/ lêg – 25 km² yw lêg i ffermwyr y paith

Lienzo – sgwaryn mawr o ddefnydd bras i gadw gwlân
   ar ôl cneifio

Manija – peiriant cneifio

Mara – ysgyfarnog Patagonia

Mate – diod gyffredin a phoblogaidd yr Ariannin; rhoddir
   dail *yerba* mewn cwpan crwn, tywelltir dŵr poeth iddo
   a sugnir y trwyth drwy bibell a elwir *bombilla.*

Mazamorra – india corn mâl wedi ei ferwi mewn llaeth
   a siwgr

Nafta – petrol

Paith – diffeithwch Patagonia

Paseo – tro (mynd am dro)

Patron(a) – cyflogwr(aig)

Pinchaso – twll mewn teiar; pyncjar

Poncho – mantell

Priddfeini – brics

Primavera – gwanwyn

Puesto – lle; (Saes. *post*)

Recado – cyfrwy'r *gaucho*

Riflero – aelod o gorff milwrol

Señalada – diwrnod nodi, sbaddu a thorri cynffonnau

Siesta – cyntun canol dydd

Talaje – lle i gadw anifeiliaid i bori

Troperos – porthmyn

Trip – llwybr creigiog ar y paith

Zapatillas – esgidiau ysgafn

Trip – llwybr creigiog ar y paith

Cyfrolau eraill ar Batagonia a'i phobl o Wasg Carreg Gwalch

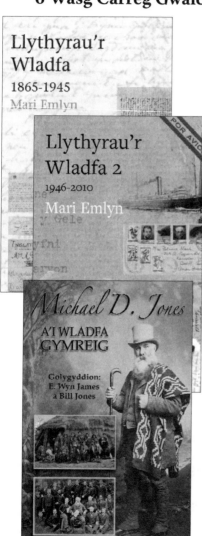

Llythyrau'r Wladfa
1865-1945
Mari Emlyn

Llythyrau'r Wladfa 2
1946-2010
Mari Emlyn

Michael D. Jones
A'I WLADFA GYMREIG
Golygyddion:
E. Wyn James
a Bill Jones

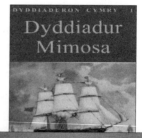

DYDDIADURON CYMRY 1
Dyddiadur Mimosa

BYWYD A GWAITH
John Daniel Evans
El Baqueano

Gwladfa Patagonia

LA COLONIA
GALESA DE PATAGONIA
The Welsh Colony in Patagonia
1865-2000

R. Bryn Williams